"Transformando suor em ouro. Nunca o título de um livro refletiu tão acertadamente o seu conteúdo. Ele é expressivo e verdadeiro, pois expõe em uma só palavra o fundamento principal de uma carreira vitoriosa: o trabalho! O trabalho incansável destilando em suor dignificante o objetivo fixo do sucesso. E para tudo isso é necessário ter dedicação, esforço e um outro ingrediente básico: inteligência! Inteligência para descobrir os caminhos certos, para despertar em cada colaborador o ajuste fino da jogada vencedora e a dedicação em proveito de todos. Resumindo: competência e seriedade são as duas qualidades sempre presentes no trabalho de Bernardinho."

ANTÔNIO ERMÍRIO DE MORAES, EX-PRESIDENTE
DO GRUPO VOTORANTIM (1928-2014)

"Em tudo o que faz, mas sobretudo na quadra, Bernardinho demonstra o seu espírito vencedor. É capaz de transformar uma partida em uma batalha vitoriosa, agigantando-se como os seus atletas. É assim desde que o conheci aos 15 anos – obstinado, persistente, perfeccionista, motivador e vencedor, ele se tornou o mais vitorioso treinador do voleibol brasileiro."

BEBETO DE FREITAS, EX-TÉCNICO DA SELEÇÃO DE VÔLEI QUE
CONQUISTOU A MEDALHA DE PRATA EM LOS ANGELES

"Há líderes que inspiram pelo discurso, outros pelo que fazem e conquistam. Bernardinho é um líder raro que nos toca com as palavras ao mesmo tempo que inspira, faz, conquista e transforma como ninguém suor em ouro, pessoas em times, talento em vitórias."

CARLOS ALBERTO JÚLIO, EMPRESÁRIO E PALESTRANTE,
EX-PRESIDENTE DA HSM

"Liderança, competência e obstinação são traços marcantes na carreira de Bernardinho, um profissional com ambição constante pela vitória. É uma pessoa extremamente estudiosa, dedicada e apaixonada pelo que faz. Essas características o tornam um dos melhores técnicos da história do voleibol mundial."

CARLOS ARTHUR NUZMAN,
EX-PRESIDENTE DO COMITÊ OLÍMPICO BRASILEIRO

"O Bernardinho é vitorioso em tudo o que faz; ele nasceu para ganhar, com muito trabalho e atitude."

NALBERT, EX-JOGADOR DE VÔLEI E
MEDALHA DE OURO EM ATENAS

"Falar do Bernardo é fácil. Meu amigo incondicional desde a década de 1970, ele continua sendo um grande líder, íntegro e focado como sempre foi. Seus princípios e valores são o reflexo de uma estrutura familiar maravilhosa. Fico muito feliz pelo seu sucesso, porque ele é mais do que merecedor de suas conquistas."

RENAN DAL ZOTTO, EX-JOGADOR DE VÔLEI E
MEDALHA DE PRATA EM LOS ANGELES

"Bernardinho é um vencedor por colocar no seu trabalho valores e princípios que tanto apreciamos: liderança, determinação, competência para treinar e motivar equipes e capacidade de levar crescimento pessoal e alegria aos jovens."

VINICIUS PRIANTI, EX-PRESIDENTE DA UNILEVER BRASIL

TRANSFORMANDO SUOR EM OURO

Bernardinho

TRANSFORMANDO SUOR EM OURO

Copyright © 2006 por Bernardo Rocha de Rezende
Todos os direitos reservados.

preparo de originais: Débora Chaves
assistente editorial: Alice Dias
revisão: Isabella Leal, Natalie Lima, Sérgio Bellinello Soares e Tereza da Rocha
projeto gráfico e diagramação: Marcia Raed
capa: Raul Fernandes
impressão e acabamento: Bartira Gráfica e Editora S.A.

CIP-BRASIL. CATALOGAÇÃO-NA-FONTE
SINDICATO NACIONAL DOS EDITORES DE LIVROS, RJ

B444t

Bernardinho, 1959-
    Transformando suor em ouro / Bernardinho. – Rio de Janeiro:
Sextante, 2006.
    Inclui bibliografia.
    ISBN 85-7542-242-1

    1. Bernardinho, 1959-. 2. Jogadores de voleibol – Brasil. 3.
Treinadores de voleibol – Brasil. 4. Voleibol – Brasil – História. 5. Vontade.
6. Autodomínio. 7. Excelência. 8. Conduta. 9. Sucesso. I. Título.

06-2582

CDD 927.96325
CDU 929:796.325

Todos os direitos reservados, no Brasil, por
GMT Editores Ltda.
Rua Voluntários da Pátria, 45 – 14º andar – Botafogo
22270-000 – Rio de Janeiro – RJ
Tel.: (21) 2538-4100
E-mail: atendimento@sextante.com.br
www.sextante.com.br

*Aos meus "primeiros treinadores",
Condorcet e Maria Ângela, à minha
primeira equipe – Rodrigo, Guilherme, Patrícia
e Eduardo – e aos grandes reforços
Fernanda, Bruno, Júlia e Vitoria.*

Agradecimentos

Primeiramente gostaria de agradecer ao jornalista e escritor João Máximo, que com sua experiência e sabedoria me incentivou e orientou durante todo o processo de elaboração do material que ele tão brilhantemente transformou em livro. Seus conselhos, oriundos de vasta vivência jornalística e em especial esportiva, me foram de grande valia.

Meu obrigado muito especial aos editores e novos amigos Marcos e Tomás Pereira, que me instigaram e convenceram a relatar estas histórias. Compartilhamos ótimos momentos no processo de revisão dos textos dividindo experiências mútuas, preocupações sobre os momentos de sucesso, suas armadilhas e como lidar com os altos, baixos e, por que não dizer, "planos" de nossas trajetórias. Eles me fizeram entender que o papel do editor é basicamente o de estabelecer prazos, no que demonstraram extrema perseverança para que eu cumprisse os meus, sem muito êxito, devo dizer.

A toda a equipe da Sextante: à Débora, que já deve conhecer de cor o caminho do nosso centro de treinamento em Saquarema; à Ana Paula, que tentava em vão me encontrar Brasil afora e que sempre me recebia com um largo sorriso em minhas visitas à editora; à Dona Léa, senhora do café, água e bolachinhas que me alimentavam entre o treino da manhã e o da tarde. E ao Dr. Geraldo, patriarca e *coach* de toda essa "intrépida trupe".

A tantos amigos que dividiram comigo todas essas experiências, especialmente meus companheiros da "geração de prata", protagonistas de grandes histórias; às meninas da seleção que tanto me ensinaram e proporcionaram; e aos rapazes dessa fantástica equipe, por terem me aceitado, compreendido e nos tornado campeões.

Aos companheiros da "equipe Bernardinho": Zé Inácio, Tabach, Chico, Hélio, J.P. e Marcão, Fiapo, Doc Ney e Álvaro, Robertinha e todos os demais que ao longo desses 13 anos ajudaram no processo de construção dessa trajetória.

Aos treinadores e professores do Andrews e da PUC, inspiradores no processo de preparação, e aos meus colegas e amigos do colégio e da universidade que me ajudaram a concluir com êxito esse processo.

Aos professores, coordenadores, um fantástico grupo de profissionais dedicados do Centro Rexona-Ades de Voleibol, aos amigos Nando e Dora e à equipe que hoje toca com entusiasmo o Instituto Compartilhar.

Aos grandes jornalistas e amigos Lucio de Castro e João Pedro Paes Leme, que me convenceram a experimentar esta aventura.

A todos os colaboradores da Confederação Brasileira de Voleibol, na figura de seu presidente Ary Graça Filho, e do Comitê Olímpico Brasileiro, na pessoa do Dr. Carlos Arthur Nuzman, pelo apoio irrestrito e realização de nossos projetos.

Finalmente, gostaria de agradecer a meu filho Bruno, que compartilhou comigo momentos de reflexão e questionamento, ao me perguntar os porquês que me fazem continuar a busca incessante de respostas e à minha ruivinha Júlia, por seu carinho nos momentos de desânimo.

Sumário

O descobridor de virtudes 13

Apresentação 17

Um passeio pela Grécia 19

Meus primeiros treinadores 27

A geração de prata 41

Uma aventura à italiana 57

As meninas do Brasil 77

As cubanas e nós 97

A Roda da Excelência 109

Aos campeões, o desconforto 125

A última barreira 149

Em busca do ouro 165

A nova Escala de Valores 181

Epílogo 205

Bibliografia 209

Índice de fotos 213

O descobridor de virtudes

JOÃO PEDRO PAES LEME

Como centenas de milhares de adolescentes na década de 1980, cresci apaixonado pelo vôlei. A geração de Bernard, Renan, William e Montanaro ensinou a minha geração a gostar tanto daquele esporte que, em poucos anos, ele se transformou no segundo mais popular do país. Quando, depois dos jogos do Campeonato Mundial de 1982 ou das Olimpíadas de 1984, íamos para a rua montar a rede e "repetir" a atuação dos nossos ídolos, não me lembro de alguém que dissesse: "Eu sou o Bernardinho." Quase todos queriam representar o papel dos titulares – nossos heróis – e não do levantador reserva. Bernardinho não tinha vaga na seleção da minha rua.

Poucos poderiam imaginar que ali, no banco de reservas da seleção, atento a tudo, estivesse sendo gerado – no ventre dessas competições e de outras tantas – o maior técnico da história do voleibol brasileiro e um dos maiores símbolos de liderança do Brasil. O obscuro jogador reserva da geração de 1980 tornou-se um craque do esporte no nosso país. Não tem habilidade para realizar os atraentes – e às vezes inúteis – malabarismos individuais, mas é o grande astro do jogo coletivo.

Bernardinho é o divisor de águas num país que precisa aprender a importância da cooperação, da solidariedade e do trabalho em equipe. Diga que seus jogadores são baixos e

TRANSFORMANDO SUOR EM OURO

Bernardinho os fará saltar mais alto. Diga que são fracos no bloqueio e ele irá torná-los os melhores do mundo. Diga que a seleção de vôlei do Brasil é deficiente na defesa e ele fará dos seus comandados defensores imbatíveis. A essência dessa transformação é a crença numa equação simples que nada tem de matemática: TRABALHO + TALENTO = SUCESSO. Não por acaso o TRABALHO vem antes do TALENTO. Para Bernardinho – economista formado pela PUC do Rio –, a ordem desses fatores altera o produto. Apoiado no seu próprio exemplo como jogador, ele aposta no esforço e na perseverança, na disciplina e na obstinação. Sempre percebi uma lógica elementar na sua mente: é melhor lapidar até a exaustão o talento médio (e determinado) do que tentar polir o diamante preguiçoso que não deseja polimento. Se Thomas Edison, o mago da lâmpada, deixou para a posteridade a famosa frase "Gênio é 1% de inspiração e 99% de transpiração", Bernardinho – por mais iluminado que seja – não ousaria contestá-lo.

Quando vai a empresas, a grandes corporações ou à Escola Superior de Guerra dar suas palestras, a razão dos aplausos frequentes é uma só: as lições do Bernardinho se aplicam a qualquer setor da atividade humana. Ele se tornou aos poucos o símbolo da liderança moderna. Democrático, franco, aberto, mas seguro no momento de decidir. A seleção brasileira de vôlei – como exemplo bem-sucedido de gestão de pessoas – deveria servir de referência para qualquer empresa. As possíveis vaidades e os melindres foram substituídos por um enorme senso de solidariedade – uma cumplicidade, no que pode haver de mais positivo na definição desse termo.

Vinte anos depois de ser vice-campeão mundial e olímpico no papel de levantador reserva, Bernardinho, agora como técnico,

O DESCOBRIDOR DE VIRTUDES

levou o Brasil ao título nas Olimpíadas e no Campeonato Mundial. Fez de um time sem resultados expressivos nos últimos anos a seleção mais temida no mundo do vôlei. Transformou pessoas – uma especialidade sua. Criou uma geração segura de jogadores determinados, revigorou o ânimo de alguns outros e construiu uma equipe de assistentes a quem entregaria ouro em pó. Foi nesse refinado processo de garimpagem e lapidação que o Brasil viu surgir a preciosa carreira desse líder.

Há muitas frases ditas pelo Bernardinho que merecem ser guardadas para reflexão. Certamente neste livro você irá encontrar várias delas. Algumas simples, outras complexas, mas todas com um conteúdo que resume, em pequenas doses de sabedoria, o segredo de tanto sucesso. A minha preferida é "No fim das contas, são as pessoas que fazem a diferença". Considero essa frase um achado. Afinal, as instituições não funcionam sozinhas, não se gerem por toque de mágica, nem os cargos têm vida própria. Equipes, empresas, corporações ou governos são o resultado do trabalho de um grupo de indivíduos. Nesse processo, é preciso encontrar o que houver de melhor em cada um deles para tornar sólida a instituição; fazê-los entender que o esforço coletivo leva à vitória, mas o talento individual desorientado tende a fracassar. Assim descobrem-se as grandes vocações e aperfeiçoam-se as virtudes. Esse trabalho Bernardinho desempenha como mestre.

Hoje, qualquer adolescente que saia de casa para jogar com os amigos depois de acompanhar as vitórias do vôlei brasileiro gostaria de ser treinado pelo Bernardinho. O antigo jogador reserva que não tinha vaga na seleção da minha rua é atualmente um dos brasileiros mais cobiçados pelas grandes empresas do país. Traduz suas táticas vitoriosas para que funcionem no mundo empresarial – afinal, neste mundo atuaria em qualquer posição. A cada competição, ensina também aos brasileiros a importância da cooperação, da solidariedade, do esforço coletivo em busca do objetivo comum. Ensina a importância dos jogadores reservas e de como podem ser decisivos. Como amigo e fã, admiro essa sua alquimia vitoriosa que mistura ingredientes infalíveis: ética, respeito, vontade, disposição, disciplina, talento. E se, no fim das contas, são mesmo as pessoas que fazem a diferença, figuras como Bernardinho são fundamentais para a transformação do Brasil.

Apresentação

"Tudo o que sei é que nada sei."
SÓCRATES

Quando conquistei a primeira medalha olímpica como treinador de uma seleção brasileira de vôlei – o bronze das meninas em 1996 – e começaram a surgir convites para dar palestras em empresas, fiquei curioso: o que será que executivos e profissionais das mais variadas áreas querem ouvir? O que há de comum entre minhas experiências e conquistas no esporte e o dia a dia dos negócios?

No vôlei como na vida valem os mesmos princípios: a necessidade de identificar talentos, de manter as pessoas motivadas, de se comprometer com o desenvolvimento de cada membro do grupo e, principalmente, de criar um espírito de equipe que torne o desempenho do time muito superior à mera soma dos talentos individuais.

Os problemas que enfrento como treinador de equipes de vôlei de alta performance são basicamente os mesmos que preocupam todas as pessoas no cada vez mais competitivo ambiente profissional: como trilhar os caminhos da vitória, encarar os desafios e pressões e, o mais importante, o que fazer para permanecer no topo.

Inspirado pela leitura de biografias de líderes históricos

TRANSFORMANDO SUOR EM OURO

como Churchill e de grandes esportistas e treinadores como Vince Lombardi, fui amadurecendo um olhar próprio sobre a minha atividade. Isso me levou a formular uma ferramenta de trabalho que chamei de "Roda da Excelência" e que é um dos principais temas deste livro.

É ela que norteia a busca permanente da qualidade que aplico no dia a dia com os jogadores para refinar habilidades como trabalho em equipe, perseverança, superação, comprometimento, cumplicidade, disciplina, ética e hábitos positivos de trabalho.

Este livro não pretende ser uma autobiografia em que brilham meus melhores momentos como jogador e técnico. É sim uma história de liderança construída a partir de observações, teorias e conceitos que assimilei ao longo de minha trajetória ao lado de grandes equipes – e que nos ajudaram a transformar suor em ouro. Desde os tempos em que jogava no infantojuvenil do Fluminense, como integrante da geração que conquistou a medalha de prata na Olimpíada de Los Angeles, passando por minha iniciação como treinador na Itália, depois na seleção feminina de vôlei, até chegar à equipe masculina, onde estou até hoje.

A partir dessa coletânea de leituras, vivências e experiências, espero poder instigar você ao processo de questionamento, de busca da solução e de crescimento, na contínua procura de respostas para os muitos porquês e comos.

Espero também que este livro o inspire a abraçar a busca da excelência, uma filosofia de vida que me norteia e me anima desde pequeno. Assim como tento fazer com os jogadores, gostaria de ajudá-lo a sair da sua zona de conforto, a descobrir o seu imenso potencial de contribuição e a encarar cada dia como uma oportunidade de dar o melhor de si mesmo.

Um passeio pela Grécia

"Sucesso é o resultado da prática constante de fundamentos e ações vencedoras. Não há nada de milagroso no processo, nem sorte envolvida. Amadores aspiram, profissionais trabalham."

BILL RUSSEL

Atenas, 29 de agosto de 2004. Dentro de mais algumas horas estaremos no Ginásio da Paz e Amizade enfrentando a Itália pelo ouro olímpico. Qual será o desfecho dessa jornada que começou não em nossa estreia, há duas semanas, mas há três anos e meio, quando me tornei treinador desta admirável seleção brasileira de voleibol? Passei praticamente a noite em claro, os olhos grudados no teto, o pensamento na grande final, com direito a breves cochilos e nada mais.

Levanto-me como se tivesse o peso do mundo no estômago. Vou até a varanda, volto, ando pelo quarto com cuidado para não acordar Ricardo Tabach, meu assistente técnico e um dos meus braços direitos. Como uma fruta e desço. São seis da manhã. Os jogadores e os demais companheiros da comissão técnica ainda dormem. Talvez estejam menos tensos que eu.

Saio para um passeio pela Vila Olímpica. Eu e meus pensamentos, agora menos concentrados nos italianos, na decisão e no ouro do que nos três anos e meio que nos trouxeram até aqui. É nisso que penso, fiel ao que sempre achei do voleibol, do esporte em geral, da vida: a vitória não é mais importante do que a certeza de termos feito todo o esforço para conquistá-la.

Sol forte, calor intenso, passo mentalmente em revista toda a minha longa associação com o esporte. Penso na família como ponto de partida e porto seguro de uma vida inteira. Volto ao passado do medíocre jogador de futebol, do aluno de judô do professor Ynata, do tênis no Clube dos Caiçaras, da descoberta do voleibol nas areias de Copacabana, do time infantojuvenil do Fluminense e das lições aprendidas com meu primeiro treinador, Benedito da Silva, o saudoso Bené (a maior delas é nunca fazer nada sem paixão).

Depois, já adulto, os outros clubes, a seleção brasileira e o início da fase em que o voleibol tornou-se um dos esportes mais populares do país do futebol, sem contar o enorme destaque internacional. O orgulho de ter pertencido à "geração de prata" de Bernard, Montanaro, Xandó, Renan... ainda que como eterno reserva de William, que, afinal, sempre foi melhor que eu. O começo como treinador, assistente de Bebeto de Freitas.

A experiência na Itália, particularmente a primeira, na equipe feminina do Perugia. Se aquelas meninas não tivessem confiado em mim, eu não seria hoje um treinador. Depois o período no time do Modena, a volta ao Brasil, o convite de Nuzman para dirigir a seleção feminina, os campeonatos ganhos, os títulos perdidos, sobretudo em duas Olimpíadas, tudo antes de assumir, em 2001, as funções de treinador dos rapazes que dormem lá atrás, talvez sonhando com a vitória.

Como será se vencermos hoje? O sucesso nos últimos anos já colocou uma enorme responsabilidade sobre os nossos ombros, imagine se conquistarmos esse ouro. O que virá depois? Provavelmente a obri-

UM PASSEIO PELA GRÉCIA

gação de vencer sempre, a insuportável cobrança de que nada do que fizermos daqui em diante poderá ser menos que perfeito.

Considero a questão do merecimento: será que esta geração merece mais do que aquela que conquistou a prata, à qual o voleibol brasileiro deve mais do que medalhas? Tem mais direito do que Renan, jogador extraordinário, meu amigo, quase um irmão? Penso na medalha de ouro que ele não ganhou e, mais ainda, na angústia que viveu durante os Jogos Olímpicos de 1996 — nós em Atlanta ligados em voleibol e ele no Brasil enfrentando estoicamente a leucemia do filho, Gianluca. Uma angústia que só se desfez muito depois, quando o menino se curou e pudemos ter de volta o Renan cuja aura tanto nos animava.

Não sei. A única certeza que tenho é a de que, se for uma questão de merecimento, esses rapazes já são campeões. Vencer, realmente, pode não ser tudo, mas se empenhar pela vitória é a única coisa que conta. E esta seleção, sem dúvida, nunca deixou de dar o seu máximo.

Por um minuto, se tanto, me vem um pensamento meio absurdo: não seria melhor perdermos hoje para os italianos? Ficaríamos com a prata, que é também uma bela medalha, e sairíamos enriquecidos por termos aprendido, ao fim de uma estrada de vitórias, as grandes lições que só a derrota ensina.

Vitória e derrota, sempre os dois extremos. No voleibol não há empate, a zona intermediária entre ganhar e perder. Um esporte em que os dois últimos pontos num tie break podem significar a distância entre o céu e o inferno — céu para quem levar a melhor, inferno para o lado oposto. Trato de afastar o pensamento despropositado sobre as vantagens da derrota e me concentro novamente na seleção da Itália.

TRANSFORMANDO SUOR EM OURO

Estou às voltas com minhas reflexões quando encontro Fernanda Venturini, minha mulher e uma das melhores levantadoras do mundo. Um encontro que poderia ser difícil para os dois: ela sem saber se chora a incrível derrota para as russas nas semifinais (e a medalha perdida ontem, quando nossas meninas foram superadas pelas cubanas na decisão do terceiro lugar) ou se me dá força para a minha final, e eu dividido entre confortá-la e só pensar nos italianos. Mas o encontro acaba sendo tranquilo, nada difícil. Fernanda parece mais ligada no meu hoje do que no ontem dela. Deseja-me sorte e segue para a piscina, deixando-me totalmente sintonizado com o desafio que vamos enfrentar. E o que ainda está por vir?

Analiso o adversário, mas aquelas são horas de decifrar o nosso próprio time. Uma reflexão decisiva, fundamental. Ontem à noite, considerando que havíamos enfrentado e vencido a Itália duas vezes em um mês – primeiro na final da Liga Mundial e depois na fase de classificação destes Jogos Olímpicos –, perguntei a Chico dos Santos, o assistente que dividiu comigo o planejamento tático da seleção: "O que será que os italianos prepararam para este jogo?" Resposta: "Nada, Bernardo. Eles não tiveram tempo para inventar coisa alguma. Vamos pensar somente na nossa equipe." E que equipe! Unida, motivada, comprometida com uma causa: não obrigatoriamente conquistar o título olímpico, mas fazer todo o possível para merecê-lo.

Não se monta o melhor time sem grandes jogadores, não se constrói uma máquina sem as peças certas, não se chega ao todo sem que as partes se completem. Motivo pelo qual jamais desconsiderei o brilho individual dos 12 homens sob meu comando. Na realidade, 13, se contarmos com Henrique, tristemente cortado uma semana

UM PASSEIO PELA GRÉCIA

antes de chegarmos aqui. Se os regulamentos limitam as equipes a 12 atletas, não quer dizer que Henrique não ocupe, sempre, a mente e o coração de todos nós, o que está mais do que demonstrado em todos os jogos. Desde a estreia contra a Austrália, quando sua camisa número 5 foi presa por dois ganchos no nosso vestiário, desfraldada como emblema de uma ausência muito presente.

Como é possível não levar em conta a perseverança de Nalbert, nosso capitão, um supercraque cujo desfalque, forçado pelo ombro machucado, diziam que seria fatal para nossas pretensões nestes Jogos Olímpicos? Com enorme esforço, para não dizer sacrifício, ele se recuperou, voltou a jogar e, mesmo ficando de fora nos últimos jogos, contagiou-nos com sua liderança. Costumo dizer que o ano em que Nalbert menos jogou foi o ano em que mais nos inspirou, pela sua luta e dedicação no processo de recuperação.

E Giovane, medalha de ouro em 1992, que jamais viu nisso motivo para se acomodar, para não fazer mais, mesmo quando reserva? Aceitou voltar à seleção como soldado, não como general, e com a humildade de quem diz: "A mim, basta estar aqui." Um abençoado? Não. Um obstinado que se prepara duro para que as coisas deem certo. E quando não entra é daqueles que treinam muito para fazer com que o titular se esforce ainda mais, com medo de perder o lugar.

E a vibração de Ricardinho, vitória da obstinação sobre o talento? Tem um excepcional senso de observação. Vê os vídeos muitas vezes sozinho, estuda-os e chega dizendo: "Já sei o que tenho que fazer." E sabe mesmo. Gênio indomável, às vezes deixa a emoção sobrepujar a razão. Na quadra, porém, tem sido nosso grande diferencial. A velocidade que conseguiu imprimir ao nosso jogo nos levou ao topo.

E a liderança de Giba? Com seu entusiasmo contagiante e sua

TRANSFORMANDO SUOR EM OURO

generosidade cativante, é um dos mais cotados para ser eleito pela imprensa especializada o melhor destes Jogos Olímpicos.

E o brilho de Maurício, outro medalha de ouro de 1992, que enfrentou o penoso processo de passar de ídolo incontestável a suplente? Mas acabou vencendo. Amadureceu e compreendeu a importância de sua nova função.

E o talento de Dante, para quem um dia enviei um e-mail dizendo "Não me faça desistir de você"? Ele foi à luta e provou ter força suficiente para carregar o peso de substituir o aparentemente insubstituível Nalbert. Grande jogador, espero que Dante se torne um líder para as novas gerações, transmitindo tudo o que aprendeu com esta.

E a inteligência de Rodrigão, esse meio de rede dotado de uma capacidade tática fora do comum? Fala pouco, mas ouve, observa, aprende e faz. Tudo com personalidade, coragem e capacidade de decisão.

E o surpreendente Escadinha, a quem todos respeitamos e admiramos por ter superado dificuldades na vida que nenhum de nós experimentou? Um vencedor, modelo de luta, de vitória da virtude, da correção. Maravilhoso líbero – aliás, talvez o melhor dos muitos que estão em Atenas. Se a seleção brasileira merece ganhar o ouro logo mais, Escadinha é o símbolo desse merecimento.

E a eficiência de Gustavo, trabalhador incansável? O exemplo vivo de que nada substitui o treinamento, a preparação. Um jogador moldado a suor e dedicação, fabricado, transformado num dos maiores bloqueadores da história do vôlei.

E a garra de André Heller, um lutador que conquistou sua vaga numa disputa sempre dura, mas muito leal? Talvez por essas qualidades esteja sempre pronto para os grandes embates.

E André Nascimento, o filho que todo pai queria ter? Sempre

UM PASSEIO PELA GRÉCIA

de bem com a vida, não tem medo de adversário algum: Rússia ou Bolívia, ele enfrenta qualquer seleção com a mesma bravura. É um ótimo virador de bolas, considerando que tem 1,95m e enfrenta adversários estrangeiros com mais de 2 metros.

E, por fim, a humildade de Anderson, que talvez não tenha ideia do próprio valor. Toca um ótimo violão, que não deixei que trouxesse para Atenas, certo de que perderíamos o som de sua música mas ganharíamos um jogador, além de competente, concentrado.

Em suma, jamais desconsiderei o talento de qualquer um desses excepcionais atletas, embora, para mim, sejam astros cuja luminosidade se torna mais acentuada quando formam uma constelação. Os rapazes que enfrentarão os italianos daqui a algumas horas estão unidos, determinados, confiantes, movidos pela mesma paixão e convencidos de que não teriam chegado até aqui se não fossem o que são: uma equipe.

Volto ao prédio em que estamos hospedados. Temos uma conversa final às 11 horas, mas antes o preparador físico José Inácio levará os jogadores ao *fitness center*. Durante a preleção penso que nunca mais vou treinar este time de novo e isso faz com que a conversa seja curta e, de certa forma, emotiva. Afinal, não havia razão para tensões ou temores excessivos, já que tínhamos trabalhado para viver aquilo – era o lugar em que queríamos estar: a final olímpica.

Para descontrair, Ricardinho, sempre ele, completou: "Se alguém estiver com medo, pode me dar a mão." Risos gerais. Qualquer que fosse o resultado, eu queria vê-los de cabeça erguida. Tinha certeza de que estávamos prontos para curtir aquele momento.

Ouro ou prata, o que, afinal, ainda estaria por vir?

Meus primeiros treinadores

*"Disciplina é a ponte que liga
nossos sonhos às nossas realizações."*
PAT TILLMAN

Nasci em Copacabana, no Rio de Janeiro, numa família de classe média alta que me deu mais do que o essencial: amor, conforto, instrução, exemplo de vida e intensa atividade física nas horas vagas.

Pelos sonhos de minha mãe, Maria Ângela, meu futuro seria a advocacia ou outra profissão liberal. Mas, como todos sabem, sonhos de mãe nem sempre se realizam. Meu pai, Condorcet Rezende, deve seu primeiro nome à homenagem que meu avô quis prestar ao Marquês de Condorcet, precursor filosófico de Augusto Comte.

Mais que pai, o meu foi sempre um modelo de caráter, de lealdade, de ética, de respeito às pessoas: "São coisas que não se compram, pois não estão à venda..." Foi em seu livro *Andanças e caminhadas*, uma coletânea de textos diversos, que conheci muitos dos lemas positivistas que influenciariam minha vida: "O amor por princípio e a ordem por base; o progresso por fim", "Saber para prever, a fim de prover", "Agir por afeição, mas pensar para agir", entre outros.

Desde cedo Maria Ângela e Condorcet mostraram o valor da

instrução, fundamental para o nosso desenvolvimento cultural e profissional, meu e de meus irmãos – por ordem, Rodrigo, eu, Guilherme, Patrícia e Eduardo. De certa forma, foram nossos primeiros "treinadores". Devemos a eles o ensinamento segundo o qual – fôssemos advogados, engenheiros, médicos ou professores – não chegaríamos a lugar algum se não estudássemos, trabalhássemos e suássemos muito, com muita dedicação.

Toda a família se dedicou aos esportes. Nossos pais viam nas atividades físicas um complemento valioso à formação dos filhos. Entre todas as modalidades que pratiquei, foi no judô que me saí melhor, aluno do mestre japonês Ynata. Fui vice-campeão carioca infantojuvenil, mas o que devo de fato ao judô não são as vitórias e sim a disciplina e a possibilidade de pôr racionalmente para fora a energia que todo jovem tem dentro de si.

Não esqueço as pequenas punições (leves bambuzadas nas pernas) aplicadas por mestre Ynata, sem dúvida as primeiras lições de perseverança e motivação que tive. Foi ele quem me ensinou a não desmoronar quando perdesse uma luta e, acima de tudo, levantar depois de cair.

O voleibol. Descobri-o na praia, onde Rodrigo e eu jogávamos com uma turma de amigos. Nada sério, que fizéssemos com a intenção de um dia jogar para valer. Só queríamos brincar. E para isso bastavam uma faixa de areia, uma rede e uma bola. Se um time de verdade entrou em nossas vidas, isso se deve a Vitório Mendes de Moraes, vizinho pouco mais velho que nós para quem o voleibol já tinha deixado de ser uma simples brincadeira. Ele e a irmã Lúcia jogavam pelo Fluminense, ambos muito bons. Achando que levávamos algum jeito, Vitório

MEUS PRIMEIROS TREINADORES

nos convidou, a Rodrigo e a mim, para fazermos teste no mirim do seu clube. Fomos. E me tornei um botafoguense adotado pela família tricolor.

Quem dirigia as categorias de base do Fluminense era Benedito da Silva, o Bené. Grande treinador, maravilhosa figura humana. Um "fazedor de craques" – que o digam Bernard, Fernandão, Badá e outros que integrariam a chamada "geração de prata".

Com Bené aprendi mais do que jogar vôlei. As primeiras noções de liderança, de disciplina, da importância de fazer parte de uma equipe, de tratar todos segundo os mesmos valores, mas não necessariamente da mesma forma, tudo isso me foi passado por ele. E mais a paixão pelo voleibol. Bené acreditava firmemente – e transmitiu isso aos seus jovens jogadores – que não se deve fazer nada na vida sem paixão.

Bené tinha um grande senso de observação. Nos treinos do infantojuvenil do Fluminense, eu costumava brigar muito com Rodrigo. Era meu espírito resmungão, de cobrar, de dar palpite no jogo do outro, de exigir que todo mundo se empenhasse mais. Rodrigo, ótimo temperamento, deixava que eu brigasse sozinho. Levava na brincadeira o que eu insistia em transformar em bate-boca. Sempre que isso acontecia, Bené parava o treino e ordenava:

– Chega, Bernardo! Vai pro chuveiro.

Tomei dezenas de banhos antecipados por decisão do treinador. Eu saía do clube inconformado. Não me esqueço daquelas viagens de ônibus depois que Bené me obrigava a deixar o treino mais cedo. Por que era sempre eu o culpado? Por que razão, numa discussão, só eu era expulso? Sentia-me perseguido, injustiçado, convencido de que o treinador não gostava de mim.

TRANSFORMANDO SUOR EM OURO

Uns 20 anos depois, quando dirigia a seleção feminina do Brasil, eu costumava convidar Bené para assistir aos nossos treinos no Centro de Capacitação Física do Exército, na Urca. Já idoso, ele se sentava num canto, observando tudo em silêncio. Um dia, não resisti e desarquivei o assunto:

– Bené, me explica uma coisa: por que, sempre que eu brigava com meu irmão, você me expulsava do treino e nunca tirava ele, que não queria nada?

Resposta do velho treinador:

– Justamente por isso, porque seu irmão não queria nada. Se eu o mandasse embora, talvez ele não voltasse mais e eu precisava dele no time. Já você estava tão envolvido no vôlei que eu tinha certeza de que voltaria sempre.

A capacidade de Bené para motivar os jovens estava ligada à sua sabedoria em entender seus atletas, desvendando seus talentos e suas limitações, identificando os botões corretos a serem apertados. O do desejo? O da melhora da autoestima? Enfim, era um mestre na arte de conhecer pessoas.

DEVE-SE EXIGIR MAIS DE QUEM TEM MAIS A DAR. É FUNDAMENTAL CONHECER AS PESSOAS PARA MOTIVÁ-LAS.

Ele percebeu em mim não a vocação ou a possibilidade de me tornar um craque no voleibol, mas a persistência, a teimosia, a vontade de sempre voltar para um novo começo a cada derrota. Estou mais do que convencido de que foi ele quem potencializou o meu espírito de não desistir nunca. Bené intuiu que minha luta teria de ser maior que a dos outros, mais talentosos.

Seus ensinamentos, porém, não pararam aí. Foi com Bené

MEUS PRIMEIROS TREINADORES

que aprendi, também, as primeiras noções do que é ser líder numa equipe. Não apenas o capitão, como geralmente se imagina no esporte, mas aquele que dá o exemplo, seja treinando, jogando ou mesmo longe da quadra, e que contribui para o aprimoramento do time.

Eu tinha 14 ou 15 anos e ainda era do infantojuvenil quando Feitosa, treinador dos adultos do Fluminense, me convidou para participar num fim de semana de amistosos fora do Rio. Fui, é claro. Soa sempre como prova de prestígio um garoto ser chamado para jogar com gente grande. Ocorre que, com isso, desfalquei o infantojuvenil. Quando me reapresentei ao Bené na terça-feira, ele não me poupou:

– Como líder, Bernardo, você falhou. Sendo o capitão da equipe, deixou seus companheiros na mão. Para ajudar os outros, abandonou justamente os que mais precisavam de você.

Nunca me esqueci das palavras claras e duras de meu treinador naquele dia. A vaidade de ter feito alguns amistosos com o time adulto tinha tomado conta de mim e me induzido a agir errado com todo o grupo. Com meia dúzia de palavras, Bené me mostrou quanto vale ser parte de uma equipe. Como o "nós" é sempre mais importante do que o "eu".

Ao mesmo tempo em que meus pais me incentivavam a praticar esporte, não viam com bons olhos a possibilidade de fazê-lo como atividade única, exclusiva, quase como um meio de vida. Nos anos 1960 e na maior parte dos 1970, futebol à parte, o esporte no Brasil estava longe de ser profissão. Por isso eles exigiam que eu pusesse os estudos em primeiro lugar, deixando em segundo plano minha paixão pelo voleibol.

Paralelamente ao curso de inglês (embora eu o achasse desinteressante, não tinha como escapar ao argumento de meu pai: "O inglês já foi um diferencial, hoje é fundamental"), comecei a cursar a faculdade de engenharia da PUC, mas logo me desencantei e pedi transferência para economia.

O fato é que adorei o curso de economia, pelos bons professores que tive e pela oportunidade de combinar a matemática e o raciocínio lógico de que eu tanto gostava com um campo de estudo mais criativo e humano. Como cursei a faculdade ao mesmo tempo em que me dedicava ao voleibol, as duas atividades se confundiram e se interligaram.

Anos depois eu compreenderia como a economia, que busca gerar o maior bem-estar possível com recursos limitados, me ajudou no esporte, onde devemos buscar o melhor resultado com os recursos disponíveis.

Sempre fui um jogador disciplinado. Não precisei ter muita experiência para saber que um atleta, mesmo sem ser excepcional, pode conseguir superar suas limitações com uma superdedicação aos treinos, apoiada por hábitos saudáveis de vida.

Quando o assunto é dedicação aos treinos, gosto de citar Pat Tillman, jogador de futebol americano. Baixo, não muito rápido e sem o biotipo ideal para o esporte, ninguém tinha grandes expectativas sobre seu futuro como atleta quando começou a jogar no colégio. Mas ele treinava tão obstinadamente e com tamanha disciplina que garantiu sua presença entre os titulares. Era o máximo que podia conseguir, diziam. Ledo engano. Na faculdade ele se transformou em um dos destaques da equipe universitária.

Futebol profissional? Os descrentes insistiam em duvidar do futuro de Tillman, ao que ele respondia com a maior segu-

MEUS PRIMEIROS TREINADORES

rança: "É só me darem uma chance." Deram-lhe uma chance e ele a agarrou. Tornou-se profissional, passando a ganhar milhões de dólares por ano.

Há uma frase de Tillman que nos leva à conclusão de que ele tinha o famoso brilho no olhar: "Disciplina é a ponte que liga nossos sonhos às nossas realizações." Todos nós temos objetivos e queremos conquistá-los, mas é importante que estejamos dispostos a construir essa ponte.

O que significa ter "brilho no olhar"? Todo mundo conhece a expressão que descreve os olhos como o espelho da alma. O brilho, no caso, reflete a intensidade que vem do íntimo, da essência do atleta, numa mistura de vontade, disciplina, determinação e paixão. Em meus tempos de jogador eu não me dava conta de que o ardor e a chama que me motivavam a competir, e que se denominava simplesmente de "raça", tinham um sentido mais amplo.

O marechal inglês Sir Bernard Montgomery, o da invasão da Normandia, na Segunda Guerra Mundial, também acreditava na força do olhar. Não por acaso ele fazia questão de passar suas tropas em revista antes de cada batalha. Seus soldados achavam muito estranho aquele ritual. "Lá vem aquele maluco", diziam. "A gente indo para a linha de fogo e ele preocupado com o corte de cabelo, a barba, o uniforme..."

Não era nada disso. No livro *Master of the Battlefield* (Mestre do campo de batalha), Nigel Hamilton transcreve a explicação do próprio Montgomery: "...o que eu queria era olhar bem nos olhos de cada homem para ver se percebia neles o brilho da vitória."

Desde jovem aprendi que alguns hábitos são incompatíveis com certas atividades. Para o atleta de alto nível, por exemplo, beber, fumar, não seguir uma dieta balanceada nem compensar com repouso a energia gasta no treinamento são hábitos que podem abreviar uma carreira promissora. Drogas? Sobre estas não é preciso tecer muitos comentários: mais do que interromper carreiras, elas destroem vidas.

Sei por experiência própria que somar hábitos saudáveis a disciplina nos treinamentos me ajudou como jogador e também como técnico. De nada adianta um time ou uma seleção ter os mais competentes nutricionistas e caprichar nas receitas mais balanceadas se o atleta não estiver convencido de que deve segui-las para seu próprio bem.

Como jovem iniciante sob as bênçãos de Bené, percebi que a nossa atitude em relação ao esporte, ao trabalho, a tudo na vida é balizada por dois sentimentos: o arrependimento e o merecimento.

Nada pior do que nos arrependermos do que não fizemos ou do que fizemos mal: "Ah, se eu tivesse me cuidado mais...", "Ah, se eu tivesse agido de outra forma...". O arrependimento corrói, arruína e faz sofrer. Por isso é preciso pensar antes no que se deve fazer e como fazê-lo para não nos arrependermos depois.

Já o merecimento é um sentimento bom, alentador, construtivo. É o que permite que se diga: "Eu mereci o que conquistei porque fiz por onde, preparei-me, trabalhei honestamente, fui disciplinado, consciente, sério e cultivei hábitos compatíveis com o que faço." O que também é simples.

Hoje é isso que tento passar para os jogadores. Posso orientá-los, mas a decisão é deles.

Apesar da imensa dedicação aos treinamentos, nem sempre minha carreira foi um mar de rosas. Tive bons momentos, prin-

MEUS PRIMEIROS TREINADORES

cipalmente a conquista do título brasileiro infantojuvenil em 1974 e do Campeonato Sul-Americano de Juvenis em 1978.

Nessa época, tive a oportunidade de ser dirigido em várias ocasiões por Bebeto de Freitas, meu ídolo desde menino. Na primeira seleção carioca que ele dirigiu, fui seu capitão. Daí nasceu uma grande amizade. Admirava-o desde os tempos em que era jogador, principalmente por sua postura, seu modo de orientar os companheiros durante o jogo, liderando-os, sendo quase um técnico dentro da quadra. Para mim, Bebeto era um exemplo.

Quanto aos maus momentos, o ano de 1977 foi inesquecível. Fui convocado pela primeira vez para uma seleção brasileira, a equipe juvenil que ia disputar o primeiro Mundial da categoria. Eu estava em forma, treinava com o entusiasmo habitual, mas fui cortado. Para um garoto de 18 anos, aquela "tremenda injustiça" tinha o peso de uma avalanche.

Fiquei com a sensação de que tudo acabara, de que minha vida no voleibol chegara ao fim. Um sentimento horrível de derrota pessoal. Meu pai percebeu como eu estava me sentindo e quis me tirar da cabeça a ideia de que meu mundo desmoronara: "Você está apenas começando. Trate de treinar mais, levantar a cabeça e seguir em frente, que tudo vai dar certo", disse ao me ver abatido, choroso.

A história do sábio chinês que presenteou o imperador com um livro cabe perfeitamente aqui. O livro tinha apenas duas páginas. Ao dá-lo, o sábio explicou: "No momento mais triste de sua vida, senhor imperador, leia a primeira página e feche o livro. E no momento mais feliz, leia a segunda. O presente terá atingido seu objetivo."

Tempos depois, o azar abateu-se sobre o império. Uma peste matou parte da população, uma praga destruiu a lavoura, bárbaros invadiram as terras saqueando o que sobrara. Desesperado, o imperador lembrou-se do livro. Na primeira página, somente uma frase curta: "Isso vai passar." Incansável e laborioso, ele convocou seus conselheiros e pediu o apoio de seu povo para expulsar os invasores, debelar a peste e recuperar a lavoura.

Mais tarde, sua única filha casou-se com o filho de um imperador vizinho e os dois países se uniram num único e imenso império. Feliz da vida, o imperador lembrou-se novamente do livro e foi direto à segunda página, onde se lia apenas outra frase curta: "Isso também vai passar." Moral da história: não devemos nos embriagar pelas grandes alegrias nem nos deixar abater pelas grandes frustrações.

A MAIOR TRISTEZA NÃO É A DERROTA, MAS NÃO TER A OPORTUNIDADE DE TENTAR DE NOVO.

Compreendi que o que para mim era uma injustiça na verdade era uma decisão considerada correta pelo treinador. Poucas coisas são tão difíceis em qualquer atividade humana quanto a autoavaliação. Nunca temos a ideia exata do que somos, de quanto valemos, sobretudo quando a medida do nosso trabalho é tão ou mais qualitativa que quantitativa.

O resultado de uma partida de voleibol, por exemplo, é pura matemática. Não há o que discutir. Já o desempenho de um jogador, de uma equipe, não se limita ao que dizem as estatísticas. É também uma questão de qualidade, implicando a avaliação de uma série de valores, muitos deles subjetivos, que raramente os outros veem do mesmo prisma que nós. O técnico pode errar? Sim, todos nós podemos errar. O importante é

MEUS PRIMEIROS TREINADORES

tentar se colocar no lugar do outro e perceber que uma decisão difícil também afeta quem a toma.

Por isso, após aquele corte de 1977, fui em frente sem perder tempo tentando descobrir se meu destino era ser um craque, um jogador medíocre ou uma nulidade. Só queria jogar bem. Isso me ajudou a ser um profissional aplicado, insatisfeito comigo mesmo, buscando o aprimoramento e levando a dedicação nos treinos às fronteiras da obsessão (costumo brincar que a falta de treino me leva a mergulhar em profunda crise de abstinência).

Eu sabia que jamais seria um ídolo dos ginásios. Mas também sabia que o treinamento exaustivo me daria um lugar no vôlei. Preparava-me para ser profissional em uma atividade na qual a autocrítica é uma coisa complicada. São raros os atletas que aceitam a condição de reserva. Pior, sequer a entendem.

Em seu livro *My Life* (Minha vida), Earvin "Magic" Johnson, um dos gigantes do basquete americano, dedica um capítulo inteiro aos reservas do seu time, o Los Angeles Lakers, vendo neles a essência do trabalho em equipe que o levou a ganhar tantos campeonatos na Associação Nacional de Basquetebol, NBA. "Eles nos desafiam diariamente a sermos melhores", explica.

É verdade que o voleibol brasileiro estava a quilômetros de distância do profissionalismo então a caminho, mas ainda assim vale o que Michael Jordan, outro gênio do basquete americano, escreveu a propósito de jovens que se iniciam no esporte. Segundo ele, a maioria chega para o primeiro teste já pensando nas mansões, nos carros e nos jatinhos que comprarão com os milhões de dólares que esperam ganhar rapidamente.

Poucos têm consciência de que a fama e a fortuna são resultado do treinamento árduo a que terão de se entregar. A prepa-

TRANSFORMANDO SUOR EM OURO

ração, a entrega irrestrita ao aperfeiçoamento físico e técnico (quase sempre demandando sacrifícios), estes sim deveriam ser os primeiros pensamentos de todo jovem atleta. Sem isso, os bens e todo o resto não passam de um sonho.

O ciclista americano Lance Armstrong também fornece um testemunho incrível do poder da persistência. No livro *The Long Ride* (A longa jornada), Armstrong conta como voltou a competir, e a vencer, depois de sobreviver a um câncer de testículo. Ele mudou seu estilo de pedalar, que era muito impetuoso, e soube criar novas estratégias para completar o Tour de France, a prova de ciclismo mais tradicional do mundo.

Detalhe importante: até então ele nunca havia conseguido ganhar a corrida francesa, mas após se recuperar do câncer ele a conquistou sete vezes. "Levei um bom tempo para aceitar a ideia de que ser paciente é diferente de ser fraco", afirma Armstrong no livro.

Essa fonte inesgotável de experiências me chega pelos livros que leio com o prazer e a necessidade de quem tem de aprender mais e mais. Um deles, *A incrível viagem de Shackleton*, de Alfred Lansing, fala sobre liderança, motivação, trabalho em equipe e superação. Qualidades sem as quais o famoso explorador não teria conseguido transformar sua malsucedida expedição à Antártida – que o deixou, junto com seus tripulantes, isolado por dois anos num bloco de gelo – numa história de resistência heroica.

As biografias estão entre minhas leituras favoritas. E não apenas com relatos sobre o mundo do esporte, mas também sobre personagens como Charles Darwin, Winston Churchill, Gandhi, Benjamin Franklin, todos líderes, todos grandes inspiradores.

NO VÔLEI COMO NA VIDA

COMPREENDER A IMPORTÂNCIA DA INSTRUÇÃO NO
DESENVOLVIMENTO CULTURAL E PROFISSIONAL.

DEDICAR-SE COM OBSTINAÇÃO,
NA BUSCA DE UM OBJETIVO.

ENTENDER A PAIXÃO COMO FATOR ESSENCIAL
DE MOTIVAÇÃO.

SUPERAR AS LIMITAÇÕES PESSOAIS PELA DISCIPLINA.

NUNCA ESQUECER QUE A VAIDADE
É INIMIGA DO ESPÍRITO DE EQUIPE.

BUSCAR O "BRILHO DA VITÓRIA" NO OLHAR
DE SEUS COLABORADORES.

A geração de prata

"Os guerreiros vitoriosos vencem antes de ir
à guerra, ao passo que os derrotados
vão à guerra e só então procuram a vitória."

SUN TZU

Como jovem levantador eu já buscava conhecer meus defeitos e minhas virtudes. E o que mais me incomodava era o meu temperamento, minha maneira de ser. Como aprender a usá-la a meu favor?

Estudos ou voleibol – a tudo me dedico de um modo que muitos consideram obsessivo. Conheço atletas com essa característica que obtiveram resultados fantásticos em suas modalidades. Não tinham grande talento, mas sabiam perseverar. Eu mesmo talvez não voltasse à seleção brasileira, depois do primeiro corte, se não teimasse.

Para dar um exemplo conhecido, recorro ao futebol. Quem não conhece a história de Cafu? Apesar de reprovado em mais de 10 peneiras – os testes em que os clubes selecionam jovens jogadores –, ele não desistiu. Até que um dia alguém percebeu que aquele lateral de habilidade limitada possuía qualidades fundamentais como determinação, seriedade e força interior.

Aqui cabe a dúvida: será que as limitações que viam em Cafu não estavam nos treinadores que o avaliavam? Será que as res-

TRANSFORMANDO SUOR EM OURO

trições não estavam nos padrões de avaliação, que valorizavam apenas o virtuosismo e não as qualidades que o levariam a ocupar o posto de capitão da seleção pentacampeã mundial?

Já que na seleção eu ficava a maior parte do tempo no banco, aprendi a analisar dali o estilo dos jogadores – como se saíam em cada fundamento, seu empenho, seu ritmo, sua postura tática nesta ou naquela situação e suas reações emocionais – e comecei a desenvolver um bom senso de observação. Detalhes que poderiam me escapar se eu fosse titular, mas que na posição de reserva eram anotados e analisados.

Sempre me interessei pelo voleibol como jogo coletivo. A interação entre os 12 jogadores me fascinava mais do que eventuais centelhas individuais. Conversava a respeito disso com meus treinadores e gostava de trocar ideias com eles sobre táticas e estratégias. Queria sempre participar.

Outra coisa é o espírito crítico proveniente justamente da soma destas duas características: a do jogador obstinado e a do reserva metido a técnico. Irrequieto, ranzinza mesmo, eu reclamava, discutia, brigava e exigia mais dos companheiros. Não aceitava desperdício de talento, o que até hoje é uma das coisas que mais me irritam.

Nunca fui aquele jogador que entrava para decidir, para fazer a diferença, mas cobrava isso dos que tinham condições para tanto. Quando via um craque relaxar, acomodar-se, conformar-se com uma atuação medíocre, protestava. E pensava comigo mesmo: "Ah, se eu fosse tão bom quanto esse cara..."

Lembro-me de um amistoso entre Atlântica Boavista e Fuji Film, do Japão. Reclamei o tempo todo dos meus companheiros de time que, por alguma razão, estavam desmotivados. Eu gritava e xingava tanto que Bebeto de Freitas me substituiu.

A GERAÇÃO DE PRATA

– Por que me tirou? – perguntei no vestiário depois de perdermos a partida.

– Porque você ia acabar brigando com o time inteiro – respondeu Bebeto. – Você era o único com vontade de jogar.

Rebati meio malcriado:

– Quer dizer que foi esse o meu prêmio por querer jogar? Da próxima vez vou jogar de má vontade pra ver se não saio.

É claro que o treinador tinha razão: meu ímpeto, minhas broncas passando da conta poderiam criar na equipe um clima ruim. O que ele e os outros jogadores talvez não soubessem é que minha autocrítica também era muito dura. Eu não aceitava menos que 100% de dedicação. Ao mesmo tempo em que monitorava o desempenho dos meus companheiros, era igualmente severo comigo mesmo e não me perdoava pelos erros cometidos, muito menos pela repetição deles.

O hábito de criticar nunca me permitiu culpar os outros pelas minhas próprias falhas. Eu ensaiava, sem desconfiar, o papel de treinador que desempenharia no futuro.

Em 1980 fui convocado novamente e dessa vez fiquei entre os 12 jogadores que iriam disputar os Jogos Olímpicos de Moscou. Era a realização da ambição de todo atleta. Logo após os amistosos preparatórios, três meses antes das Olimpíadas, estourei o menisco do joelho esquerdo e tive de ser operado. Diante de tamanha falta de sorte, todo mundo me viu fora da seleção. Todo mundo menos eu.

Na época, abria-se o joelho para fazer essa cirurgia (a artroscopia ainda não entrara em cena) e calculava-se em três meses, no mínimo, o tempo de recuperação. Iniciei meus exercícios no leito do hospital, jogando bola na parede, para desespero das enfermeiras. Depois, já em casa, acordava às sete da manhã e me exercitava de alguma forma até às 10 da noite para não perder o toque de bola.

Muitas vezes dormia durante o dia em um colchonete, no Fluminense, para aproveitar melhor o tempo. Nadava, malhava, caminhava, alongava e combinava à fisioterapia treinos com bola: sentava-me no chão e ficava jogando vôlei com a parede. O resultado foi que me reapresentei à seleção e voltei a jogar em tempo recorde: 28 dias.

Os Jogos Olímpicos de Moscou foram marcados pelo boicote dos Estados Unidos em protesto contra a invasão do Afeganistão por tropas soviéticas. A ausência da seleção americana não chegou a tornar a nossa participação menos difícil, pois os representantes do Leste Europeu ainda formavam a linha de frente do voleibol mundial.

Sofremos duas derrotas logo nas primeiras partidas, para a Iugoslávia e para a Romênia, vencendo em seguida a Líbia e a Polônia (então campeã olímpica), numa virada emocionante. Depois vencemos a Tchecoslováquia e na fase seguinte a Iugoslávia. Mesmo assim, não passamos do 5.º lugar. Confirmando seu favoritismo, a União Soviética foi campeã.

A ascensão do voleibol brasileiro teve a contribuição de dois personagens: Carlos Arthur Nuzman, como dirigente e precursor do processo de profissionalização do vôlei no Brasil, e Bebeto de Freitas, como treinador. Sob seu comando, a seleção jamais deixou de fazer parte da elite do voleibol mundial. Bebeto era um tremendo estrategista. Não só nas questões táticas, de armar o time dentro da quadra, mas em um item fundamental: o planejamento, não muito valorizado até então.

A GERAÇÃO DE PRATA

Bebeto montou uma comissão técnica, dividiu tarefas, sentiu que aquela geração tinha futuro e deu a ela o melhor ao seu alcance. Seu preparador físico, Paulo Sérgio, a quem chamávamos Major, alçou o condicionamento da seleção a um nível dos mais elevados.

Bebeto foi o homem certo para participar desse processo modernizador. Tinha talento, conhecimento e sensibilidade para, mais do que viver o grande momento, ajudar a construí-lo. Armou uma seleção competitiva e, ao mesmo tempo, bonita de se ver. Com a televisão transmitindo os jogos ao vivo para todo o país, o público foi se chegando ao voleibol, familiarizando-se com ele, torcendo e até mesmo passando a acreditar em seu sucesso diante das grandes potências mundiais do esporte.

"*CASE* VOLEIBOL": PLANEJAMENTO, PROFISSIONALIZAÇÃO DO PROCESSO, INVESTIMENTO NA BASE.

Em 1981 chegou a primeira medalha em uma competição de nível internacional: o bronze na Copa do Mundo do Japão. Mostrava que a nova geração tinha potencial para colocar o Brasil no mapa-múndi do vôlei. Promessas de craques que se confirmariam na excepcionalidade dos astros daquela seleção: Bernard, Montanaro, Xandó, Amauri, Fernandão, Badá, William, Renan e outros.

No ano seguinte, mais dois testes importantes: o segundo lugar no Mundial disputado na Argentina e a inesquecível conquista do Mundialito no Maracanãzinho, uma vitória empolgante sobre a União Soviética na final com o estádio lotado.

Durante o Mundialito vivi uma das mais emocionantes experiências da minha vida como jogador. Jogávamos contra o

Japão e a partida começava a escapar de nossas mãos, quando Bebeto sacou dois titulares, Bernard e William, e mandou que Montanaro e eu entrássemos em seus lugares. Atirou-nos na fogueira, mas conseguimos virar o placar e ganhar o jogo. O Maracanãzinho veio abaixo.

Passada a emoção, fiquei refletindo sobre o que ocorrera. Por que razão ajudei a fazer o que um titular com muito mais talento não tinha feito? Porque o treinador achou que naquele momento os dois reservas poderiam ajudar mais o conjunto do que os dois craques que ele substituiu.

A DISPOSIÇÃO DE UMA EQUIPE E O ENTENDIMENTO E A COLABORAÇÃO ENTRE OS JOGADORES NA QUADRA PODEM SER MAIS DECISIVOS QUE O BRILHO INDIVIDUAL.

Em 1983, uma grande conquista: o ouro dos Jogos Pan-Americanos em Caracas. Uma vitória da superação, pois vários jogadores atuaram no limite do sacrifício. Fernandão e Badá, por exemplo, tiveram que ser praticamente içados ao pódio pelo restante da equipe por estarem com os joelhos estourados.

Para mim os treinos da seleção eram como aulas ministradas por Bebeto de Freitas. Aulas práticas, proveitosas, válidas para sempre. Nada mais natural que eu me convertesse um dia em treinador, tamanha a experiência acumulada ao longo da carreira como jogador. Meus anos de banco certamente seriam úteis quando eu tivesse a atribuição de dirigir um time.

O curioso é que, se por um lado comecei fazendo como Bebeto e outros técnicos ensinavam, por outro preferi seguir o caminho oposto. Era aquela típica sensação de desconforto com algumas decisões que acabam levando você a pensar coisas do

A GERAÇÃO DE PRATA

tipo: "Isso eu não faria no meu time", "Se eu fosse ele, agiria de forma diferente", "Não concordo com essa solução"? Pois é, volta e meia essas coisas me passavam pela cabeça, embora nunca tenha desrespeitado qualquer um dos meus treinadores.

Se por um lado eu jogava voleibol com paixão, por outro levava o curso de economia muito a sério. Adorava as aulas e os professores que, com sua compreensão, permitiram que eu me formasse. Embora fosse bom aluno, daqueles que sentam na frente e redobram a atenção para aprender e compensar as faltas, os colegas também desempenharam um importante papel nisso tudo. Informavam-me sobre as aulas, passavam-me a matéria e cobriam, na medida do possível, minhas ausências. Mais uma vez uma lição sobre o valor do trabalho coletivo. Essa também foi uma equipe fundamental em minha vida.

Minha frequência às aulas era muito prejudicada pelos treinos, jogos, viagens e, quando estava na seleção brasileira, pelos períodos de concentração. Revejo-me de madrugada no hotel, Renan dormindo profundamente na cama ao lado e eu com a cara no livro, estudando para as provas.

Nunca me vi tão dividido como naquela época. Eu tinha dúvidas se conseguiria viver do voleibol e por isso cheguei a pensar na possibilidade de fazer pós-graduação, me aprimorar e seguir normalmente a carreira de economista. Conversei com vários professores, entre eles André Lara Resende, que me convidou para um estágio no Banco Garantia.

Foi ele quem, no papel de professor, me questionou pela primeira vez sobre qual seria o meu futuro: economista ou treinador de vôlei? A dúvida durou pouco, assim como o estágio, que foi definitivamente interrompido em 1984, ano em que me formei. O motivo é que outro banco estava à minha espera: o da seleção brasileira que iria disputar os Jogos Olímpicos de Los Angeles.

Chegamos a Los Angeles como uma das seleções favoritas, ao lado da dos Estados Unidos. Com o boicote que a União Soviética retribuía aos americanos, seguida por outras potências do vôlei como Polônia, Bulgária e Cuba, a previsão era de que a medalha de ouro dificilmente escaparia a um dos dois países. Tínhamos de fato grandes equipes.

Iniciamos nossa caminhada com uma vitória sobre a Argentina: 3 a 1. Dois dias depois, a segunda vitória sobre a Tunísia: 3 a 0. Então, quando devíamos nos concentrar no jogo contra a Coreia do Sul, perdemos tempo e energia discutindo questões de relacionamento, em vez das táticas de jogo. Foram mais de seis horas de bate-boca, de choque de vaidades, de egos fora de controle. No dia seguinte, claro, perdemos para a Coréia do Sul por 3 a 1.

Depois da ducha fria, nós mesmos e os torcedores brasileiros que nos acompanhavam de perto e de longe não acreditávamos ser possível reverter a situação. Até que, na quarta rodada, a surpresa: uma vitória impecável sobre os Estados Unidos por 3 a 0, com um último set demolidor (15-2). Terminamos a fase de classificação como líderes do grupo e favoritos absolutos ao título.

O favoritismo aumentou quando, nas semifinais, vencemos a Itália por 3 a 1. Àquela altura, quem mais poderia nos roubar o ouro? Não os americanos, cuja invencibilidade terminara diante de nós. Pois foram eles mesmos que cinco dias depois nos devolveram o 3 a 0 na final. Não jogamos a metade do que tínhamos jogado antes. E os americanos apoderaram-se do ouro. A nós, a prata. Foi minha última Olimpíada como jogador.

A GERAÇÃO DE PRATA

Com todas as honras que o segundo lugar em Los Angeles nos concedia, com todo o reconhecimento internacional que pela primeira vez o voleibol brasileiro tinha, uma pergunta era inevitável: por que a prata e não o ouro?

Não pretendo dar respostas definitivas. Muito menos criticar quem quer que seja. Não vejo na conquista da prata um fracasso. Não mesmo. Foi, sim, o sucesso de uma geração que ficou consagrada como a "geração de prata". Com orgulho, todos nós ostentamos no peito a medalha que nos coube. Pessoalmente, considero-me um privilegiado por ter participado daquele momento.

A geração de prata revelou talentos, impôs-se como divisora de águas entre o amadorismo incipiente e o profissionalismo de fato, foi responsável pela popularização do vôlei no Brasil e por muito mais. Sempre lembrarei das coisas que aprendi, das emoções que vivi e dos amigos que fiz.

Mas por que a prata e não o ouro? Respondo à pergunta com outras perguntas: Será que não havíamos caído na armadilha do sucesso? Será que não entramos na partida decisiva confiantes demais? Não seria possível que, por uma espécie de tradição no esporte brasileiro, só tenhamos perdido por sermos os favoritos?

Nenhum de nós tinha ideia do que é ser ídolo num país que ama o esporte. Era natural que, vaidosos e maravilhados com a proximidade do título olímpico, tivéssemos nos tornado vítimas de nossos próprios egos. Estávamos tão convencidos de que venceríamos os Estados Unidos outra vez que nos desconcentramos. Literalmente. Horas antes da decisão, enquanto víamos a fita da semifinal deles com os canadenses, lembro-me que um cochilava e outro rabiscava nas costas da cadeira à sua frente.

Outro pequeno exemplo de nossa imaturidade e nossa falta

de foco foi a discussão que tivemos sobre qual marca de tênis iríamos usar. Apesar de a CBV ter contrato de exclusividade com um determinado fabricante, alguns jogadores, atraídos por uma oferta de U$ 500, propunham que usássemos os tênis de uma marca concorrente. A polêmica foi encerrada por Nuzman: usaríamos o tênis oficial e pronto.

> **A TRAIÇOEIRA ARMADILHA DO SUCESSO É UM ALÇAPÃO EM QUE COSTUMAMOS CAIR QUANDO, EMBRIAGADOS POR EVENTUAIS ÊXITOS, PASSAMOS A NOS ACHAR MELHORES QUE OS OUTROS, QUANDO NÃO INVENCÍVEIS, E NOS AFASTAMOS DA ESSÊNCIA DO SUCESSO: A PREPARAÇÃO.**

Quando nos acomodamos, trabalhamos menos, relaxamos e confiamos excessivamente na nossa capacidade, acabamos surpreendidos por um revés. Transpomos a linha da autoconfiança, passando à autossuficiência – caímos numa cilada. Ser bom não é o mais importante, e sim estar bem preparado.

O torcedor, o analista e, mais do que tudo, a mídia não se cansam de nos pintar melhores do que somos quando vencemos. Se, por outro lado, as coisas não correm bem, eles fazem o inverso e dizem com todas as letras que somos os piores, quando na verdade o provável é que estejamos em algum ponto entre os dois extremos.

É claro que não foram os elogios rasgados da imprensa que nos levaram a tropeçar em Los Angeles. Mas eles certamente contribuíram para isso. No mais, nós mesmos não tivemos força para suportar a repentina pressão que a vitória sobre os Estados Unidos colocara sobre os nossos ombros.

A GERAÇÃO DE PRATA

Recordo o que a propósito me disse o americano Charles "Karch" Kiraly, campeão olímpico em 1984, 1988 e 1992 (no vôlei de praia) e considerado o melhor jogador do mundo pela Federação Internacional: "Não há nada melhor do que jogar contra o Brasil quando ele é o favorito. Tenho a impressão de que o peso de toda uma nação é colocado sobre as costas dos jogadores. Nos Estados Unidos é muito diferente, talvez por já termos ganhado tantas medalhas em tantas modalidades... uma a mais, uma a menos não fazem tanta diferença."

Verdade. Essa é uma premissa que tem perseguido o esporte brasileiro quase como uma maldição. Vejam o exemplo do futebol. Quantas equipes saíram do Brasil na condição de favoritas e voltaram campeãs? Alguém pode citar o Mundial de 1962 como uma exceção, mas é bom lembrar que depois da contusão de Pelé no segundo jogo, o 0 a 0 contra a Tchecoslováquia, o país inteiro convenceu-se de que o bi estava perdido. Até que Amarildo entrou e Garrincha fez tudo o que se sabia.

É fato. O favoritismo pesa. Quando o cavalo de Rodrigo Pessoa refugou nos Jogos Olímpicos de Sydney, pensei cá comigo: com 170 milhões de pessoas no dorso, à espera da medalha de ouro, não dava mesmo para o cavalo saltar.

Como jogador, e anos depois como treinador, jamais deixei de buscar entender por que a "geração de prata" não seguiu apresentando um desempenho à altura de um voleibol vice-campeão mundial e olímpico. Foram três anos sem resultados significativos. No entanto, a inspiração da "geração de prata" brilharia como ouro em Barcelona, em 1992, quando uma nova leva de talentos surgiu mirando-se naqueles grandes jogadores e ídolos.

TRANSFORMANDO SUOR EM OURO

Despedi-me da seleção brasileira no Mundial de 1986, na França, quando terminamos em quarto lugar. Nos últimos três anos de carreira, só joguei por clubes.

Mas e os outros jogadores? Por que o contingente mais habilidoso não seguiu em frente? Tirando Bernard e Xandó, que deixaram a seleção (o último até mudou de ideia depois), continuaram Montanaro, Renan, William e Amauri, todos em condições de ajudar os mais jovens a lutar por outra medalha em Seul. O que não aconteceu.

Talvez não tivéssemos percebido que, finda uma Olimpíada, já se inicia o trabalho para outra. Não foi somente a questão da preparação, mas também da transmissão de conhecimentos entre as gerações que provavelmente não foi muito eficiente. Ou simplesmente respeitava-se uma característica da nossa atividade, um ciclo de entressafra que necessita de um tempo para a colheita de novos resultados.

Depois de quatro anos muito confusos, com duas mudanças de treinador em um curto espaço de tempo e maus resultados, Nuzman chamou Bebeto de Freitas para comandar novamente a seleção brasileira. Estávamos a 50 dias da abertura dos Jogos Olímpicos de 1988, em Seul.

Nuzman apelava para Bebeto numa tentativa de reverter a situação. Sua missão era tornar a equipe novamente competitiva. Ao aceitar o convite, Bebeto me convocou para ser seu assistente. De início, fiquei surpreso. Concluí que o convite se devia, em parte, à amizade, mas muito também à relação algo complicada que ele mantinha com alguns jogadores.

Mesmo reconvocando poucos veteranos – Montanaro, Renan, Xandó e Amauri –, Bebeto confiava a mim a tarefa de funcionar como um elo entre a comissão técnica e o restante

A GERAÇÃO DE PRATA

do grupo. Quase todos tinham sido meus companheiros de time e muitos eram meus amigos, que me respeitavam. Concordei sem ter a menor ideia do benefício futuro que aquela experiência poderia proporcionar.

Seriam quatro vitórias e três derrotas em Seul, uma delas por 3 a 0 para os Estados Unidos na semifinal, cuja equipe tinha quatro dos campeões olímpicos de 1984. Eles haviam conseguido fazer a transição, entenderam que o essencial era se reinventar e mudar o time que está ganhando para continuar vencedor.

"PROGREDIR É CONSERVAR MELHORANDO."
A. COMTE

Encontrei novamente Kiraly na Vila Olímpica de Seul. Os americanos indo treinar para a final em que venceriam a União Soviética e nós para a decisão do terceiro lugar com a Argentina (perderíamos essa partida por 3 a 2, em impressionantes três horas e dez minutos de disputa).

Kiraly carregava numa das mãos um saco de bolas e na outra uma geladeira térmica. Estranhei a cena: um campeão olímpico, um craque de sua categoria, fazendo o trabalho que, entre nós, era entregue aos novatos. Sua explicação: "Bernardo, se os mais novos não me vissem disposto a dividir com eles todas as obrigações e responsabilidades, talvez não percebessem que aquele era o nosso time e aquela era a nossa medalha, e que éramos igualmente importantes. Sem contar que eles estavam tão tensos que era possível que esquecessem o saco de bolas em algum lugar."

Aqui cabe a frase do general americano Colin Powell: "Não

deixe seu ego acompanhar sua ascensão profissional." O perigo é: se você perder a posição, para onde irá seu ego? Provavelmente despencará das alturas. A solução é, como nos mostra "o melhor do mundo" Kiraly, não deixar que o sucesso suba à cabeça.

Depois de Seul, encerrei meus dois meses de experiência como assistente de Bebeto de Freitas. Seguiu-se um ano em que olhei para várias direções sem saber que rumo tomar.

Como meu irmão Rodrigo e eu tínhamos nos associado a Paulo Antônio Monteiro e sua esposa Amparo na ampliação do restaurante Delírio Tropical no Centro do Rio, dediquei-me inicialmente a esse projeto.

Essa primeira experiência profissional confirmou todas as minhas teorias sobre a importância do trabalho em equipe e o comprometimento com a qualidade. Fez-me perceber como o comportamento dos líderes se refletia no atendimento oferecido pelo restaurante.

E o voleibol? Que opções me eram oferecidas para continuar fazendo aquilo de que eu mais gostava? Chegando aos 30 anos, fui vendo aproximar-se a hora de dar adeus ao esporte. Muitos jovens talentos surgindo e as oportunidades rareando para mim. Quem sabe eu não devesse esquecer o vôlei para sempre e voltar para a economia?

NO VÔLEI COMO NA VIDA

TRABALHAR A PERSEVERANÇA, A OBSTINAÇÃO, NÃO DESISTINDO NEM RECUANDO DIANTE DE OBSTÁCULOS.
(Algumas pessoas com essas características obtiveram ótimos resultados – não tinham um grande talento, mas souberam perseverar.)

DESENVOLVER O SENSO DE OBSERVAÇÃO.
(Tirar proveito dos momentos em que estiver no "banco de reservas".)

ENTENDER QUE O SENTIDO DE COLETIVIDADE É MAIS IMPORTANTE DO QUE EVENTUAIS CENTELHAS INDIVIDUAIS.

COMBATER O DESPERDÍCIO DE TALENTO.
(Lutar contra a acomodação desafiando os limites preestabelecidos.)

FALHE AO PLANEJAR E ESTARÁ PLANEJANDO FALHAR.

MONITORAR CONSTANTEMENTE SUA VAIDADE.
(A vaidade é um grande obstáculo na busca do crescimento e na formação do verdadeiro time.)

Uma aventura à italiana

"Quanto mais você sua nos treinamentos,
menos sangra no campo de batalha."

COLONEL RED

O ano de 1989 foi de indefinição profissional. Estava pensando seriamente em deixar o voleibol quando a ex-jogadora Dulce Thompson me telefonou da Itália:

– Bernardo, surgiu uma oportunidade fantástica pra você.

– Na Itália?

– Sim, em Perugia, uma cidade muito legal.

Por alguns momentos pensei no voleibol italiano, forte, altamente profissional, empenhado em contratar os melhores jogadores de outros países, e perguntei a Dulce o que um clube de lá poderia querer de um levantador de 30 anos, em fim de carreira, que nem em sua melhor fase interessaria aos italianos.

– Não é para jogar, Bernardo – explicou Dulce. – É para treinar o time feminino do Perugia.

– Como treinar? Eu nunca treinei ninguém.

– Mas tem tudo pra isso: conhece voleibol, tem capacidade de liderança, é perfeccionista, um chato, um cricri.

Dulce me conhecia dos tempos de Fluminense e de seleção brasileira, onde atuou antes de se mudar para a Itália. Por

TRANSFORMANDO SUOR EM OURO

algum motivo, ela via em mim um treinador em potencial, um possível líder, um provável gestor. Mas, antes que eu pudesse responder, Dulce me alertou:

– Só tem uma coisa, Bernardo: a cidade é legal, o clube paga em dia, o ginásio é ótimo, tem piso macio, as bolas são novas, não falta nada, mas... – ela fez uma breve pausa – o primeiro turno do Campeonato Italiano está terminando e o Perugia, com 11 derrotas em 12 jogos, é o último colocado.

Somente uma vitória, por 3 a 2, sobre o penúltimo colocado e jogando em casa. Apesar de tudo isso, aceitei. Houve quem me chamasse de louco por ter embarcado em tal aventura enquanto outros me elogiaram pela coragem. Mas estavam enganados. Nem loucura nem coragem. Para mim, que preferia ficar no voleibol a voltar para a economia, era sem dúvida uma oportunidade. A única que me ofereciam para seguir vivendo do esporte. Loucura seria desperdiçá-la. Coragem? Precisaria dela se o Perugia não fosse o último e sim o primeiro colocado.

É bem mais difícil manter um time na liderança do que tirá-lo lá de baixo. Tudo que se fizer para quem está na lanterna há de ser para melhor. Afinal, o pior que pode acontecer a um último colocado é continuar em último. Portanto, não precisei ser louco, muito menos corajoso, para voar rumo à Itália. Eu precisava saber se era possível viver da minha paixão.

Dulce estava certa. Perugia, na região da Umbria, é uma cidade de cerca de 150 mil habitantes, encantadora, hospitaleira, boa de se viver. Faria muitos amigos por lá. Seu centro universitário lhe confere uma atmosfera jovem, moderna. O ginásio era ótimo, exatamente como Dulce me adiantara. O clube não tinha boa estrutura e faltava tradição no voleibol: era seu primeiro ano na primeira divisão. Tudo muito novo. Para o clube e para mim.

Aonde o Perugia pretendia chegar? Provavelmente evitar o rebaixamento. E o que sabia eu do papel de treinador? Muito pouco.

Um dia após minha chegada, li num jornal italiano a única manchete com que a imprensa local me dignou enquanto estive lá. Dizia mais ou menos o seguinte: "Jovem treinador de coragem chega para salvar o *insalvável*." Como se estivessem à espera de um milagre. Em vez de me assustar, enviei o recorte para minha mãe, que estava preocupada com minha decisão de largar a economia para tentar a aventura do vôlei. Achei que ela ficaria mais tranquila ao saber que, de certa forma, confiavam em mim. E acreditavam no milagre.

Coragem para quê? Pior do que estava não poderia ficar, aquela era a verdadeira "oportunidade na crise": quando todos estão dispostos a tudo, abertos a novas situações e prontos para o sacrifício. Além de tudo precisava descobrir se poderia viver minha enorme paixão. Seria possível viver de voleibol?

Meu primeiro treino no Perugia. Não há como esquecê-lo, apesar de não ter feito praticamente nada senão observar as jogadoras. Eu chegara do Rio numa quarta-feira e segui direto do aeroporto de Roma para o ginásio em companhia de Dulce, que me serviria de intérprete até que eu dominasse o idioma, e de Mario Guarella, o diretor que a ajudara a convencer o presidente do clube a contratar um brasileiro que nunca treinara uma equipe de vôlei.

Ao ver as meninas na quadra, bastaram-me alguns minutos para perceber por que eram as últimas colocadas. Tecnicamente iam mal. Fisicamente, pior. Psicologicamente, arrasadas. Terminado o treino, pedi que se reunissem para que eu lhes dissesse alguma coisa. Mas dizer o quê? Não sabia. Não só por nunca ter me dirigido a ninguém como treinador, mas também porque meu italiano era tão sofrível que a primeira palavra que me saiu da boca foi *mañana*, em vez de *domani*. Até que Dulce me traduziu:

– Amanhã faremos dois treinos, um pela manhã e outro à tarde.

Pude perceber o espanto, quase pavor, nos olhos daquelas italianas. Dois treinos por dia? Nunca tinham ouvido falar em nada parecido. Para ser honesto, nem eu mesmo sei por que tomei aquela decisão. É possível que quisesse apenas mudar alguma coisa, provocar uma mexida no que elas vinham fazendo até então. Tinha plena convicção de que mudar era importante. Afinal, "estratégias iguais nos levariam a resultados iguais". Ou seja, era preciso mudar o método de preparação.

Mas é possível também que, sem sentir, eu já estivesse levando para minha nova missão um pouco do que havia aprendido ao longo da minha carreira – para se conquistar alguma coisa é preciso trabalhar e suar muito, com uma dedicação que não raro exige sacrifícios, e tentar esticar a corda até o limite que cada um imagina ser o seu.

Creio que o potencial das pessoas vai muito além daquele em que elas próprias acreditam. Quando analiso um jogador, não foco naquilo que eu sei que ele não sabe fazer bem, e sim na maneira de ajudá-lo a explorar e ampliar seu potencial, tentando estabelecer no dia a dia da preparação um processo constante de feedback.

Essa busca do aprimoramento através do treino intensivo já tinha – e tem até hoje – algo de vício, de obsessão, que me alimentava desde os tempos de jogador. E essa experiência foi tu-

UMA AVENTURA À ITALIANA

do o que levei em minha bagagem para a Itália. Talvez ainda não o soubesse naquele primeiro treino no Perugia, mas uma das obrigações fundamentais do treinador é ter conhecimento de como o jogador pensa, como ele sente, quais são as suas expectativas e seus limites.

Recordo-me que, em 1988, quando era assistente de Bebeto de Freitas na seleção brasileira, tivemos uma discussão durante um torneio na Bulgária. Um problema com os jogadores me levou a dar uma opinião que não era bem a de Bebeto e dos demais integrantes da comissão técnica. Um deles, o fisiologista Edmundo Novaes, veio falar comigo:

– Sabe, Bernardo, você ainda pensa muito com a cabeça de jogador.

Concordei:

– Verdade, doutor, e espero nunca mais esquecer como o jogador pensa, como ele se sente nas diversas situações.

Através do conhecimento, tento avaliar até onde é possível esticar a corda. Muitas vezes, acomodado em limites preestabelecidos, o jogador pode não responder como deveria ao que exigimos dele no treinamento. Outra hipótese é fazermos uma avaliação errada de seu potencial e, ao nos colocarmos em seu lugar, constatarmos que o seu limite é inferior àquele que imaginávamos. Assim, podemos nos corrigir – e não esticar a corda demais.

Meu começo na Itália é um bom exemplo. Ocupando o último lugar na tabela da primeira divisão, as jogadoras pareciam ter aceitado um limiar muito baixo para suas performances. Mais do que acomodadas, pareciam resignadas. Podiam me achar exagerado, um alucinado que fazia tudo sozinho, sem auxiliar, sem preparador físico, treinando-as duas vezes por dia.

TRANSFORMANDO SUOR EM OURO

Mas não se queixavam, agarrando-se a essa tentativa como se fosse sua tábua de salvação.

Uma de minhas primeiras medidas seria escolher a capitã da equipe. Em geral, se não houver algo em contrário, o melhor é legitimar a capitã em exercício. Sobretudo se ela tiver sido eleita pelas demais, como era o caso de Cristina Saporiti. Além do que, substituí-la sem a conhecer seria uma atitude desnecessária e antipática. Achei por bem observá-la melhor.

Nosso começo até que foi promissor. Treinamos na sexta-feira, jogamos no sábado e ganhamos. Na segunda-feira, reiniciamos o trabalho: um circuito físico e técnico. A cada etapa cumprida, enquanto parávamos para recuperar o fôlego, Cristina pedia para ir ao banheiro, voltando minutos depois com um ar abatido. A cada pausa para descanso, lá ia Cristina para o banheiro. "Deve estar passando mal", pensei. De fato, estava. O motivo de suas frequentes idas ao banheiro é que, fisicamente limitada, Cristina era tão consumida pelo ritmo do treinamento que vomitava nos intervalos. Passava mal, saía, voltava enfraquecida, mas não desistia.

Estava explicado por que as outras a tinham escolhido para capitã. Cristina era um exemplo de determinação, de capacidade de se superar. Suas companheiras sabiam disso. Nos treinos mais rigorosos, algumas deitavam na quadra entregando os pontos, outras choravam. Mas não ela. Razão pela qual, nas três temporadas em que dirigi o Perugia, ela foi minha única capitã.

Tecnicamente, Cristina não era um supertalento, mas tinha qualidades que a tornavam uma referência para as outras jogadoras. A mensagem que se lia em suas ações, e não em suas palavras, era a de não desistir e seguir em frente, apesar dos obstáculos. Esse é um dos princípios mais caros dos atributos de liderança.

UMA AVENTURA À ITALIANA

Para exemplificar o meu despreparo e as lições que aprendia a cada dia, lembro-me de que quando cheguei para dirigir o treino encontrei nove jogadoras uniformizadas – a décima, Anna Solazzi, estava vestida à paisana.

– Filha, *change, cambio*, vai mudar de roupa pra treinar – determinei naquele idioma que era tudo menos italiano.

Anna fez com a cabeça que não. Como eu não entendia o que ela tentava me explicar, comecei a perder a paciência. Já estava a ponto de explodir quando uma jogadora menos tímida disse-me em inglês:

– Hoje ela não pode treinar.

– Como não? Ela treinou ontem...

– É que hoje ela está "naqueles dias".

Aí é que perdi a paciência de vez. Imagine um dia em que três ou mais jogadoras estejam "nos seus dias" e por causa disso não haja um time para treinar ou jogar. Fiz que a atleta mudasse de roupa e voltasse à quadra, sem saber que, no caso dela, aquele era de fato um período difícil, de dores intensas e muito desconforto.

Essa história ilustra duas coisas: primeiro, o meu distanciamento de minhas jogadoras, que as impedia de ter comigo uma relação franca e direta. Não havíamos construído ainda um elo de confiança significativo. A segunda coisa foi constatar o meu desconhecimento em relação ao universo feminino, que agora estava sob minha responsabilidade.

Isso me mostrou a necessidade de estudar o assunto, de forma a entender melhor as mudanças fisiológicas que se manifestam de maneira diversa em cada mulher. Minha preparação como *coach* estava em formação.

O convencimento era provavelmente a única ferramenta de

que dispunha para construir o verdadeiro comprometimento. Eu me esforçava para convencer as jogadoras de que era preciso participar, tornar-se cúmplice de um projeto que visava a nos tirar da condição inferior em que estávamos. O alto nível de exigência nos treinamentos não implicava nenhum método de disciplina excessiva.

Seria inútil tentar obrigá-las. Era preciso que elas adotassem o objetivo de dar o máximo de si mesmas. E acreditassem sinceramente que tudo aquilo era mesmo o melhor a fazer. Sem comprometimento e cumplicidade, elas continuariam em último lugar.

Sempre soube que não é preciso ter sido um grande jogador para se tornar um bom treinador. Ter jogado ajuda. Você já sabe de muita coisa que quem nunca jogou leva tempo para descobrir e compreender. Mas será que a experiência bastaria para me tornar um bom treinador? É evidente que não. Tive certeza disso assim que comecei a trabalhar no Perugia.

Meus primeiros tempos na Itália não foram nada fáceis. Minha família só chegaria meses depois. Sozinho, eu dedicava os dias aos treinos e as noites aos livros e aos vídeos. Mais uma vez eu pensava em como meu pai incutira em mim o hábito de ler – recordava-me de um grande número de livros sobre sua mesa e de como me impressionava a ideia de que ele conseguia dar conta de vários ao mesmo tempo. Ler como verdadeiro sinônimo de estudar e garantir uma boa formação profissional, não importa a carreira que se abrace.

Já que eu tinha aceitado a nova função, apeguei-me a ela como se fosse uma missão. Trabalhar duro, estudar muito, para que eu pudesse realizar meu objetivo. Não me refiro às vitórias

UMA AVENTURA À ITALIANA

e sucessos, mas a fazer tudo o que meu potencial, físico e mental, permitisse. Foi isso o que busquei nos livros que relatavam experiências bem-sucedidas em diferentes áreas.

> ### "EU TRABALHEI TANTO E TÃO BEM QUANTO PUDE, E NINGUÉM PODE FAZER MAIS DO QUE ISSO."
> **CHARLES DARWIN**

Comecei, na época, a formar uma biblioteca variada, com ênfase em livros sobre estratégias, projetos e gestão de pessoas. Minha grande questão era: que conceitos e fundamentos precisaria aplicar para trabalhar no Perugia? Eu queria desesperadamente aprender a fazer de um novo treinador um bom treinador.

Um dos muitos livros que li na área de esportes, *When Pride Still Mattered* (Quando o orgulho ainda contava), narra a trajetória do grande Vince Lombardi e suas qualidades de liderança, condução e formação de equipes. Lombardi foi um dos maiores treinadores de futebol americano. Começou em 1949, como técnico de defesa do time da Academia Militar de West Point, que tinha como treinador principal o lendário Earl "Colonel Red" Blaik, famoso por sua extrema rigidez nos treinamentos. "Colonel Red" pregava esta máxima: "Quanto mais você sua no treino, menos sangra no campo de batalha."

Mais tarde, Lombardi tornou-se treinador e levou o Green Bay Packers a conquistar os dois primeiros títulos do Super Bowl. Muitas das ideias expostas em seus livros valem para qualquer esporte. *What It Takes to Be # 1* (O que é preciso fazer para ser o n.º 1) e *The Lombardi Rules* (As regras de Lombardi), por exemplo, mostram as suas regras de ouro. Uma delas defende que o treinador só brilha com o brilho dos seus atletas e que a maior vitória é vê-los campeões – ideia que se confirma pela regra dos Jogos Olímpicos de não se conferirem medalhas aos treinadores. Para mim, a grande vitória de um treinador é tocar a alma de seus atletas e contribuir para o seu desenvolvimento.

O objetivo maior de quem treina uma equipe é desenvolver talentos. Muito mais do que ensinar, é ajudar a aprender. Era o que Lombardi punha em prática treinando seus times de forma realmente obsessiva. Um dia, numa entrevista, um repórter perguntou a um jogador do Packers como ele aguentava trabalhar com um intransigente, um fanático, um louco. O jogador respondeu: "Ele não é nada disso. Pelo contrário, é um cara muito correto, muito justo, que trata todo mundo igual... como cachorros."

Outra frase atribuída a Lombardi é *"Winning is not everything, it is the only thing"*, que pode ser traduzida por "Vencer não é tudo, é a única coisa". Ele se defende dizendo que a frase não era essa, e sim "Vencer não é tudo, mas dar tudo pela vitória é a única coisa que importa".

Lombardi acreditava que ter sucesso é fazer o melhor, nada menos que isso, o que pode ou não levar à vitória sobre um adversário cujo melhor, eventualmente, seja superior. A derrota nessas circunstâncias, ao contrário do que em geral se pensa, não tem sabor de fracasso.

Outro livro que me inspirou foi *O jogo interior de tênis*, de W. Timothy Gallwey. Isso mesmo. Tênis. A quem estranhar possa, digo que há algumas questões que mostram as semelhanças entre o tênis e o voleibol. A primeira é que não há contato físico, pois a rede separa os adversários e, portanto, não há como impedir que o seu oponente jogue. A única forma de superá-lo é sendo mais eficiente que ele. É preciso também ocupar espaços, caso contrário o adversário pontuará.

UMA AVENTURA À ITALIANA

O mesmo acontece no mundo corporativo: não há como impedir que seu concorrente produza resultados. A única forma de vencê-lo é sendo mais eficiente nas próprias ações e ocupando espaços, caso contrário, ele o fará.

No vôlei como na vida há uma forte confluência de conceitos, ideias e comportamentos. Sob esse aspecto, é curioso perceber a apropriação até mesmo da terminologia técnica. Cada vez mais as empresas querem ter *coaches* entre seus colaboradores, enquanto o esporte amplia a concepção do técnico chamando-o *manager*. Maior exemplo de sinergia, impossível.

Gallwey dá uma nova dimensão ao termo:

COACHING É UMA RELAÇÃO DE PARCERIA QUE REVELA E LIBERTA O POTENCIAL DAS PESSOAS DE FORMA A MAXIMIZAR SEU DESEMPENHO.

A partir dessa definição, todos queremos de alguma forma estabelecer parcerias desse tipo com quem está à nossa volta.

É interessante notar que a palavra *coach*, muito usada pelos departamentos de recursos humanos das empresas, não tem sua origem no mundo esportivo, mas nas carruagens que transportavam pessoas, correspondência e dinheiro no Velho Oeste americano, as *stage coaches*. Em espanhol, *coche* também quer dizer condução, transporte ou veículo, o que confirma que o esporte tomou emprestado esse conceito para definir a figura do *coach* – o técnico que conduz a equipe, levando-a de um estágio a outro, mais apurado técnica, física e psicologicamente.

Há ainda um livro sobre tênis muito interessante: *Winning Ugly* (Ganhando feio), de Brad Gilbert, treinador responsável pela volta de Andre Agassi ao topo do ranking. Ele conta como conseguiu vencer jogadores muito mais fortes que ele graças a sua perseverança, obstinação e um treinamento radical, características que fizeram dele um excepcional treinador e motivador.

A impressão é que, ao menos num ponto, os treinadores pensam igual: só talento não basta. Esse termo aparece constantemente nos livros sobre esportes. Com várias definições e em vários contextos, mas sempre como fator não decisivo. Importante, mas muitas vezes secundário. A vontade de vencer, ou melhor, a vontade de se preparar para vencer é o complemento indispensável ao talento.

Há exemplos históricos de equipes de superatletas que não obtiveram resultados à altura do que se esperava deles. Em *The Last Season: A Team in Search of Its Soul* (A última temporada: um time em busca de sua alma), Phil Jackson relata que, após os seis títulos conquistados com o Chicago Bulls entre 1991 e 1998, ele se transferiu para o Los Angeles Lakers, onde, após duas temporadas vitoriosas, acabou perdendo em 2003 para o Detroit Pistons, uma equipe com menos talentos individuais.

Detalhe: o Los Angeles Lakers tinha duas das maiores estrelas do basquete americano, Shaquille O'Neal e Kobe Bryant. O que faltou então? Espírito de equipe, de união, a tal energia coletiva que leva à vitória. Sem isso, o que se viu foi "um time em busca de sua alma, de sua identidade", como bem definiu Jackson, que reconhece ter sido incapaz de transformar os dois talentos num verdadeiro time.

Talento, sucesso, união, liderança, empenho, espírito de equipe, motivação, tudo isso é tratado nas páginas desses livros escritos com as tintas da experiência prática – e não apenas teórica – de seus autores. Em nenhum deles, porém, encontrei esses fatores tão perfeitamente combinados como no trabalho de John R. Wooden, outro personagem mítico do basquete americano. Em *On Leadership* (Sobre liderança) e *Pyramid of Success* (A Pirâmide do Sucesso), ele mostra como se tornou um colecionador de títulos, um construtor de times e um formador de craques, entre eles o extraordinário Kareem Abdul-Jabbar.

Como se sabe, o basquete nos Estados Unidos tem quase a mesma força do futebol no Brasil. É uma paixão nacional, atrai multidões e mobiliza milhões de dólares. Treinador e professor da Universidade da Califórnia (UCLA), Wooden começou a esboçar seu método de trabalho em 1934, quando lhe ocorreu que o sucesso podia ser visto como um edifício construído a partir da superposição de blocos de pedra.

TRANSFORMANDO SUOR EM OURO

Sendo um arquiteto diligente e preciso, ele inicialmente selecionou apenas dois blocos – dedicação e entusiasmo – como base do edifício. Wooden sabia que sem essas duas virtudes nenhum sucesso era possível. Aos poucos, ao longo de 14 anos, ele foi acrescentando novos blocos até chegar aos 15 que deram forma e dimensão definitivas ao edifício: cinco na base (*dedicação, amizade, lealdade, cooperação e entusiasmo*), quatro sobre eles (*autocontrole, estado de alerta, iniciativa e constância*), três acima (*condicionamento, habilidade e espírito de equipe*), os dois penúltimos (*postura e confiança*) e, por fim, o bloco que completa o edifício (*excelência na competição*).

Progressivamente, Wooden foi acrescentando outras qualidades às faces inclinadas da pirâmide: *fé, paciência, combatividade, integridade, habilidade, confiabilidade, adaptabilidade, honestidade, ambição e sinceridade*. Uma vez pronta, seu criador percebeu que era possível desvincular o sucesso daquilo que entendemos como vitória:

"SUCESSO É O ESTADO DE ESPÍRITO RESULTANTE DA CONSCIÊNCIA QUE VOCÊ TEM DE HAVER SE EMPENHADO PARA SER O MELHOR QUE É CAPAZ DE SER."

O que me chamou a atenção é que a Pirâmide do Sucesso não era apenas uma resposta ao mundo esportivo. Ela transcendia. Podia ser aplicada a qualquer atividade humana, como bem atesta o subtítulo do livro de Wooden *...Building blocks for a better life* (...Pilares para uma vida melhor). Aquelas 15 virtudes me ensinaram muito do que eu queria e precisava saber.

Além dos livros, sempre busquei outras fontes para complementar meu dever de casa. Observar o que os treinadores faziam com seus times, em especial o trabalho na parte dos fundamentos, me ajudava a entender, analisar e decidir o que acolher ou o que rejeitar em meus próprios treinamentos. Funcionou como proveitoso auxílio aos meus primeiros tempos de formação.

Cronistas especializados como Don Peterson, ex-treinador americano de basquete que assinava uma coluna semanal na *La Gazzetta dello Sport*, também tinham muito a ensinar. Como ele conhecia profundamente não só a parte técnica e tática, mas também a organização, o planejamento e a gestão de equipes, ele me instigava a entender os porquês. Conseguia dividir com o leitor as razões de uma vitória ou de uma derrota.

Ao final de três anos, o Perugia tinha crescido. Salvara-se do rebaixamento e conquistara por duas vezes o vice-campeonato italiano, sendo campeão da Copa da Itália e vice da Copa Europeia. Já então Vera Mossa reforçava nossa equipe, sendo eleita a melhor estrangeira em ambas as competições.

Apesar desses resultados, não houve investimento suficiente para melhorar a estrutura da equipe. Um exemplo que demonstrava a pouca evolução profissional: os salários passaram a ser pagos com mais atraso a cada mês. Por tudo isso, resolvi aceitar a proposta de dirigir a equipe masculina do Modena. Mudei no momento certo, antes que as lembranças deixassem de ser boas.

Os dirigentes do Perugia me chamariam de volta, com ofertas sedutoras, mas minha resposta foi sempre negativa: "Contratar-me de novo não vai ajudá-los. O que os senhores precisam é se organizar, se estruturar melhor, arrumar a casa. Façam isso primeiro e só depois contratem um treinador."

Levei comigo uma profunda gratidão às meninas do Perugia. Passados 10 anos, fui entrevistado por uma revista italiana sobre o sucesso da seleção masculina do Brasil e fiz questão de acentuar quanto a equipe feminina do Perugia tinha contribuído para minha formação como treinador. Soube que muitas ficaram sensibilizadas ao ver que eu me lembrava de seus nomes: "Depois de tanto tempo, esse sujeito, campeão mundial, ainda se lembra da gente..." era o comentário entre elas.

Estava claro que aquela experiência tinha sido muito importante. Eu, precisando aprender, trabalhar, testar-me, descobrir um lugar do lado de fora da quadra. Elas, à espera de alguém que as ajudasse a dar o máximo que podiam dar.

No Modena vivi um ano menos favorável. Era um time de nível médio, com ambições bem maiores que as do Perugia. Ou seja, pretendia ser campeão italiano. É fato que jogamos algumas vezes como campeões, vencendo adversários reconhecidamente mais fortes. Mas também perdemos para quem não podíamos perder. Disputamos 26 jogos e ganhamos 14. Dos 12 perdidos, nove foram em *tie breaks*, ou seja, por diferenças mínimas.

Eu poderia me isentar dizendo que a equipe não tinha sido contratada por mim, mas assumo plena responsabilidade por não ter conseguido fazer daquele time o "meu" time. Acho que eu não soube conquistá-los.

Nos sete meses em que dirigi o Modena, de agosto de 1992 a março de 1993, treinei alguns atletas contra os quais havia jogado. Muitos me olhavam com certa desconfiança, como se indagando: "O que esse cara fez pra chegar aqui dizendo o que temos que fazer?" Deveu-se muito à minha incapacidade o sexto lugar que coube ao Modena no fim da temporada, classificação decerto modesta para quem queria ser campeão.

UMA AVENTURA À ITALIANA

Talvez eu tenha errado no planejamento. Não consegui conduzir aquela equipe por etapas, um passo depois do outro. Não tive tempo para medir o potencial de cada um em separado nem de todos como um time e, em função disso, planejar corretamente.

O PLANEJAMENTO DEVE VISAR A METAS FACTÍVEIS. AMBICIOSAS, MAS REALIZÁVEIS. SE NÃO FOR ASSIM, AS FRUSTRAÇÕES VIRÃO INEVITAVELMENTE.

Aprendi muito na Itália. As dificuldades, as noites em claro, as angústias, os desapontamentos por derrotas inesperadas, tudo isso consome, mas, ao mesmo tempo, amadurece, dá experiência, contribui para o aperfeiçoamento pessoal e profissional. Tenho o hábito de buscar os porquês de cada fato passado dentro ou fora das quadras, mas foi na Itália que passei a ter a insônia que me acompanha até hoje.

Fazendo um retrospecto, vejo os erros que cometi. Em alguns momentos, especialmente no Perugia, posso ter exigido demais, sendo rigoroso em meus métodos. Mas terá sido realmente assim? Deve o treinador ser mais amigo do que líder? Não creio.

Será que ser amigo é ser bonzinho e fazer as vontades do outro ou é fazer o necessário para que o outro se aprimore? Se, apesar da bronca, do exercício mais puxado, você se torna querido e popular, ótimo, pois ninguém quer ser desagradável, malquisto. A popularidade não deve, no entanto, ser sua prioridade. O foco deve estar sempre no bem coletivo.

Nos meus três anos na Itália faltou-me experiência para não errar tanto. Hoje, mais do que nunca, abomino a falta de pre-

TRANSFORMANDO SUOR EM OURO

paro. Quem não se qualificar para o que pretende ser, quem não conhecer a fundo o que faz, tem tudo para colher mais adiante o revés e a decepção. Houve, naturalmente, compensações e experiências positivas. Em resumo, convivi com pessoas que, com seu conhecimento e sua tarimba, me ajudaram de algum modo a me tornar um profissional melhor.

No fim da história, despedi-me do Modena com algumas outras propostas para continuar na Itália. Fiquei de estudá-las durante minhas férias. No Rio, naturalmente.

NO VÔLEI COMO NA VIDA

TREINAR AO NÍVEL EXTREMO SIGNIFICA DESENVOLVER
AO MÁXIMO SUA CAPACIDADE DE REALIZAÇÃO.

DETECTAR E DESENVOLVER TALENTOS É UMA DAS
PRINCIPAIS ATRIBUIÇÕES DO LÍDER.
("Muito mais do que ensinar, é ajudar a aprender.")

ESTUDAR, LER, OBSERVAR, QUESTIONAR
CONSTITUEM O PROCESSO DE PREPARAÇÃO.

ASSUMIR O DESAFIO DE, AO ENCONTRAR UM
TIME PRONTO, CONQUISTAR AS PESSOAS E FAZER
DELAS O "SEU" TIME.

LEMBRAR-SE SEMPRE DE QUE O TALENTO,
POR SI SÓ, NÃO BASTA.
(É preciso ter espírito de equipe, de união, a tal energia
coletiva que leva à vitória.)

BOAS PERFORMANCES DEPENDEM DE
CONTEÚDO (FRUTO DA PREPARAÇÃO) +
ENTUSIASMO (FRUTO DA PAIXÃO).

As meninas do Brasil

"Quanto mais as pessoas acreditam em uma coisa,
quanto mais se dedicam a ela, mais
podem influenciar no seu acontecimento."

DOV ÉDEN

O que deveriam ser férias tranquilas se transformou num novo desafio. Lá estava eu, em outubro de 1993, na casa de meus pais, em Copacabana, quando Carlos Arthur Nuzman, então presidente da CBV, hoje à frente do Comitê Olímpico Brasileiro (COB), telefonou convidando-me para dirigir a seleção feminina. Aceitei. Quem não gostaria de dirigir uma seleção brasileira? Não pensei duas vezes.

As meninas tinham acabado de perder o Campeonato Sul-Americano e, com isso, a classificação para a Copa dos Campeões. Pelo que soube, o ambiente entre elas não era nada tranquilo. Crises de relacionamento tinham convertido a seleção num – para usar o termo que me passaram – "saco de gatos". É possível que tenha sido essa a razão do ceticismo que minha indicação provocou nas pessoas ligadas ao voleibol e em parte da mídia.

Ali estava um treinador jovem, de apenas 34 anos, a quem a experiência na Itália de pouco valeria na hora de enfrentar as pressões que inevitavelmente incidiriam sobre ele ao dirigir uma seleção. Como acontecera na minha ida para Perugia, não estava louco nem precisava de coragem para aceitar o desafio. A proposta de Nuzman vinha com a perspectiva de segurança que me era primordial: a de trabalhar a longo prazo, com ótima estrutura, cumprindo ciclos balizados pelos Jogos Olímpicos. Os próximos seriam dali a dois anos e meio, em Atlanta, nos Estados Unidos.

Mais uma vez encarei o desafio como uma grande oportunidade. Eu via naquele grupo um enorme potencial a ser desenvolvido. Enquanto a seleção feminina entrava em recesso, fui ao Japão assistir e filmar a Copa dos Campeões. No dia 26 de dezembro, as jogadoras se apresentaram e eu dirigi o primeiro treino, na Urca. Trabalhamos os quatro dias seguintes, liberei-as no fim da tarde do dia 30 para que passassem o 31 com as famílias e já na noite de 1.º de janeiro estávamos de malas prontas para um torneio amistoso na Alemanha. Conquistamos nosso primeiro título derrotando a Rússia na final.

A uma conclusão eu já havia chegado: crises de relacionamento à parte, aquelas meninas formavam um grupo muito especial de jovens talentosas, interessadas, aguerridas e aparentemente receptivas às novas situações de trabalho. A seleção que eu começava a treinar reunia todas as condições para levar o voleibol brasileiro a um patamar não atingido até então. O importante era conseguir a união e o comprometimento de todas com uma causa, um projeto – ser um time.

Numa de nossas primeiras reuniões disse-lhes que a visão que eu tinha de um time é a de um grupo de pessoas com um objetivo em comum. Mas tão importante quanto isso era ter a consciência de que para atingir esse objetivo seriam necessá-

AS MENINAS DO BRASIL

rios o esforço e a participação de todas. Mesmo daquelas componentes que pudessem parecer menos importantes. Queria que todas se sentissem fundamentais, mas que soubessem que ninguém era insubstituível.

Falei-lhes também de nossa meta: estar em todos os pódios dos torneios que disputássemos. Não necessariamente no degrau mais alto, como campeãs – embora fôssemos mirar sempre lá –, pois fazer disso o único objetivo era o mesmo que semear inevitáveis frustrações. Nenhuma equipe é campeã sempre, por melhor que seja. Sem falar que elas teriam pela frente adversárias de altíssimo nível. Minha mensagem era clara: estar em todos os pódios significava estar sempre entre as melhores. Essa era a nossa meta.

Para atingi-la, fui buscar nas outras seleções (no "mercado") o que havia de melhor e criei para a nossa um ideal quase utópico. Queria a força das cubanas, a estrutura tática das americanas, o bloqueio das russas, a técnica das chinesas e a defesa das asiáticas em geral. Se conseguíssemos uma parcela de cada item, seríamos uma seleção no mínimo competitiva.

Trabalhar em equipe não é missão exclusiva das jogadoras. Diz respeito, também, aos profissionais que vão dirigi-las, que devem ser capazes de somar e dividir ideias (dividir para multiplicar), conceitos e métodos de trabalho: a comissão técnica.

OS TRÊS PONTOS FUNDAMENTAIS NA MONTAGEM DE UMA EQUIPE SÃO REPRESENTADOS PELA SEGUINTE EQUAÇÃO: C + F + U (C DE CONDICIONAMENTO, F DE FUNDAMENTOS E U DE UNIDADE).

A boa equipe tem de estar física e tecnicamente preparada

(*condicionamento*) para poder atacar, levantar, sacar, bloquear e defender (*fundamentos*), sempre em colaboração tática e emocional com as companheiras de equipe (*unidade*).

Para isso, eu precisava de um preparador que dividisse comigo a crença nessa equação. Comecei então a construir a "Equipe Bernardinho". José Inácio Sales Neto tinha trabalhado no voleibol feminino, era um estudioso de formação acadêmica sólida, sempre atento às novidades. Um profissional tão preparado que acumularia suas tarefas com a de *manager* da seleção.

Ricardo Tabach era meu assistente técnico, especialista em recepção e defesa. Sua principal atribuição era, portanto, o desenvolvimento técnico das atletas. Em 1999, José Francisco dos Santos, o Chico, assumiria a responsabilidade pelo treinamento de bloqueio e passaria a dividir comigo as questões táticas, revelando-se um excepcional estrategista.

Como médicos tivemos Serafim Ferreira Borges e Carlos Moura e, mais recentemente, Álvaro Chamecki e Ney Pecegueiro do Amaral. O responsável pela fisioterapia era Guilherme Tenius, o Fiapo, e na função cada vez mais importante de estatística tivemos Maria Auxiliadora Castanheira, a Dôra, e, a partir de 1998, Roberta Giglio. Formamos, assim, um time multidisciplinar de talentos complementares.

Quando me atribuem o sucesso pelas conquistas à frente da seleção de vôlei, faço questão de lembrar que "Bernardinho" é esse conjunto de pessoas.

Sei que as jogadoras, mesmo as que já me conheciam, devem ter estranhado meus métodos de treinamento e minha filosofia de trabalho. Métodos às vezes duros, rigorosos, tentando exigir sem-

AS MENINAS DO BRASIL

pre mais da equipe, não aceitando menos que o melhor de cada uma, como preconiza a Pirâmide do Sucesso de John R. Wooden.

A questão era como implantar esses métodos num grupo de moças que, ao contrário das fragilizadas italianas que encontrei no Perugia, já gozavam de prestígio no voleibol, haviam provado o sabor da vitória e conquistaram alguns títulos. Será que elas se enquadrariam? Claro que sim. Como já disse, aquele era um grupo especial de jovens motivadas, com trunfos de sobra para não deixar que rotinas exaustivas de trabalho desviassem-nas de suas metas. Tive certeza disso já em meu primeiro ano ao lado delas.

Em março, chegamos a Montreux para a BCV Cup, um torneio importante que reunia oito das maiores seleções femininas do mundo. Na estreia contra a China, uma derrota – e minha primeira exasperação. Mesmo tendo treinado pouco, menos de um mês, nada justificava aquela atuação tão fraca.

Terminada a partida, dirigi-me ao vestiário decidido a, como se diz, meter o pé na porta, chutar umas canelas e descarregar minha irritação. Mas a porta estava trancada. Descobri que elas se valiam de esperta estratégia para barrar o treinador de cabeça quente: uma mudava de roupa agora, outra depois, mas nunca todas ao mesmo tempo, de modo que a operação demorasse o necessário para o treinador se acalmar. Era, digamos, um despir-se providencial para dias de má atuação.

Voltei à quadra e comentei com os assistentes que acabara de descobrir a primeira grande diferença entre treinar homens e mulheres: no vestiário dos homens você pode meter o pé na porta (literalmente). Quando, finalmente, consegui entrar no vestiário, encontrei-as caladas, tristes, visivelmente abatidas. Como acho que não se deve chutar cachorro morto, desisti da bronca. Preferi falar-lhes do próximo jogo, de como teríamos de treinar mais, transformar a nossa performance. Reafirmei minha confiança nelas, disse que acreditava até na possibilidade de ganharem o torneio e lancei-lhes o desafio:

– Se vocês forem campeãs, eu me atiro naquele lago.

Mesmo estando no final do inverno, fazia frio e as águas do lago Léman estavam supergeladas. Uma das meninas, descontraída, me alertou:

– Cuidado, pode morrer.

Outra, mais descontraída ainda:

– Tomara que morra!

E então a seleção começou a vencer. Treinava, jogava, foi superando uma adversária após outra, até a final contra a mesma China da estreia. Os 3 a 1 foram devolvidos. Vibração brasileira na quadra. Antes que eu pudesse cumprimentar as campeãs, elas gritaram em coro:

– Lago! Lago! Lago!

Não me restou outra saída senão mergulhar no Léman. Sozinho? Não. Toda a comissão técnica foi obrigada a fazer o mesmo. O que serviu de inusitado fecho para as lições assimiladas ali, na gélida Montreux. Uma delas, a de que o treinador não deve prometer o que não quer cumprir. Mas, se prometer, terá de pagar sua prenda, por mais frio que o lago esteja. Manter o grupo unido, solidário, é essencial. Por isso, de nada adiantou Tabach tentar fugir da água gelada alegando que a promessa não era sua.

SE VOCÊ É UM LÍDER REALMENTE DURO E EXIGENTE, SEU PRÓPRIO SACRIFÍCIO SERVE COMO FONTE DE MOTIVAÇÃO, POIS DEMONSTRARÁ QUE A EQUIPE NÃO ESTÁ SOZINHA.

AS MENINAS DO BRASIL

Nas duas competições seguintes, o Grand Prix e o Campeonato Mundial, tivemos a oportunidade de colher preciosas informações técnicas e táticas. Só não sei o que nos valeu mais: se o que observamos sobre o progresso da seleção dentro da quadra ou o que aprendemos sobre cada jogadora fora da quadra, seu perfil, sua personalidade, seu temperamento. E, o mais relevante, se as tais crises de relacionamento estavam superadas e se elas estariam dispostas a pensar e a agir como uma equipe de verdade.

Apesar do título do Grand Prix, um detalhe não me deixou inteiramente satisfeito. Antes da estreia em Jacarta, levei às jogadoras uma sugestão que me parecia legítima para criar ou reforçar o espírito de equipe entre elas. Como a Federação Internacional estipulara em suas competições prêmios em dinheiro para os destaques individuais nos diversos fundamentos, sugeri que a jogadora que ganhasse ficasse com metade do prêmio, dividindo o restante com as companheiras.

Não responderam de imediato. Discutiu-se por um tempo, umas a favor, outras contra, e, como não houve consenso, a sugestão caiu no vazio. Uma pena. Perdeu-se ali uma excelente chance de pensar e agir coletivamente. Só comento esse fato porque a própria Ana Moser, uma das nossas maiores jogadoras, revelou-o em seu livro e concluiu a história dizendo: "E ele foi voto vencido."

A vitória no Grand Prix, numa final emocionante contra as cubanas (a segunda vitória contra elas em oito meses), provou que o vôlei feminino já ascendera o bastante para competir no mesmo nível com as melhores equipes do mundo. Tenho motivos para crer que foi naquele momento que as cubanas, nossas mais competentes e hostis adversárias, começaram a ver as brasileiras como uma verdadeira ameaça.

O que aconteceu depois dessas vitórias é que nossas jogadoras começaram a ser vistas como celebridades, estrelas, musas, um fenômeno nunca antes ocorrido na seleção feminina. Torcedores e fãs faziam fila em busca de autógrafos e a televisão as procurava incessantemente para dar entrevistas. Aquilo me incomodava. Achava que a agitação poderia desviar o foco da atenção delas.

O auge se deu no domingo que antecedeu a abertura do Campeonato Mundial, com os principais jornais de São Paulo e do Rio abrindo páginas e mais páginas para falar das jovens e belas *superstars* do voleibol brasileiro. Era desanimador ver que apenas um pequeno percentual das reportagens ocupava-se do voleibol. O restante falava de beleza, moda, lazer, filmes, livros favoritos e trivialidades pessoais.

Não me surpreendia que fosse assim, pois me lembrava de como as coisas tinham se passado na época da geração de prata, com Bernard e nossa turma sendo tratados pela mídia como autênticos ídolos pop. Eu achava que o momento não era apropriado para tanta badalação.

Foi quando o incômodo deu lugar à preocupação. Achei que era hora de falar com elas: "De agora em diante e até que o Campeonato termine vocês estão proibidas de dar entrevistas que não sejam sobre vôlei."

Alguns protestos. Houve quem dissesse que eu estava interferindo em sua vida pessoal, tirando-lhes a liberdade de dizerem o que quisessem, onde e para quem quisessem. Discutimos. Argumentei que nada que pudesse afetar nosso projeto devia ser encarado como "pessoal". Era uma questão de todos.

AS MENINAS DO BRASIL

– Vida pessoal é a que vocês têm lá fora. Aqui vocês fazem parte de uma seleção brasileira, de um grupo com um objetivo bem definido.

Expliquei-lhes que minha obrigação era protegê-las de qualquer influência externa que pudesse desviá-las de sua meta. No caso, o Campeonato Mundial.

– Depois dele, vocês dão as entrevistas que bem entenderem.

Após o êxito no Grand Prix, ficamos com o vice-campeonato mundial, perdendo para Cuba, que tinha realmente uma equipe fantástica, a melhor que o planeta veria naquela década. Ouro para elas, prata para nós.

Um grupo de 12 atletas de origem, formação, índole, personalidade e cultura tão diversas há de ser sempre heterogêneo. Administrar diferenças, fazendo com que se harmonizem e se complementem, é das tarefas mais árduas do treinador. Existem profissionais especializados nisso, e utilizamos a ferramenta do psicólogo esportivo muitas vezes como suporte junto aos integrantes da comissão técnica.

Tentávamos lidar com os problemas das jogadoras adaptando nossos princípios fundamentais de liderança, de motivação, de disciplina, de comportamento ético, de cumplicidade e de espírito de equipe.

Um dos exercícios que fizemos funcionava da seguinte forma: reuníamos as jogadoras e a comissão técnica e um grande rolo de barbante era passado de mão em mão. A pessoa que primeiro recebia o rolo entregava-o a alguém de sua escolha e fazia um comentário, uma crítica, um elogio, uma sugestão, enfim, o que quisesse à outra pessoa. Esta, por sua vez, repetia o ritual e assim o rolo ia passando até que todos tivessem oportunidade de falar. No final estaria formada uma "rede" que, de certa forma, representaria o elo que existia entre todos – o trabalho de equipe.

Pois quando o rolo chegou às mãos da Fofão, levantadora reserva durante seis dos sete anos em que dirigi aquele grupo, ela virou-se para Fernanda Venturini, a levantadora titular, e disse: "Quero agradecer a você por ter me ensinado tanto. Aprendi muito. Estou aqui para crescer, para poder um dia disputar o lugar de titular, fazendo assim com que você possa crescer ainda mais."

Fofão sempre entendeu o papel que lhe cabia na equipe, tantas vezes no banco de reservas, sem queixas, com um sorriso cativante, sem perder jamais a motivação. Admirável exemplo de integração, solidariedade, espírito de equipe e consciência da importância do seu papel, de uma jogadora que fala pouco mas, quando fala, engrandece.

Quando assumimos a seleção, Virna foi franca:

– Bernardinho, eu não sei passar.

De fato, ela jogava no fundo da quadra, quase escondida, como se não quisesse correr riscos. Evitava fazer a recepção (passar), fundamento importante para sua função.

– Mas por que você não passa? – perguntei.

– Porque meu antigo técnico me disse que eu não tenho capacidade pra isso, que eu sou lenta e limitada.

Não perdi tempo:

– Foi só isso que ele disse? Mais nada? Então, filha, Deus a ajude, porque você não vai jogar comigo se não passar.

Virna estava tão desmotivada, tão "pra baixo", que realmente se sentia incapaz de cumprir um dos fundamentos do vôlei. Criamos um regime intensivo de treinamento de passes, deixando claro que, se não se esforçasse, não teria chance. Em pouco tempo, ela saltou da condição de 13.ª para 7.ª da equipe. E, depois de

AS MENINAS DO BRASIL

três anos, tornou-se titular e uma das principais jogadoras do país.

O israelense naturalizado americano Dov Éden, Ph.D. da Universidade de Michigan, trabalha há mais de 20 anos com o tema motivação, usando a teoria da profecia autorrealizável. Um processo pelo qual "quanto mais as pessoas acreditam em uma coisa, quanto mais elas se dedicam, mais elas podem influenciar no seu acontecimento". É o que ele chama de efeito Pigmalião.

O nome vem da mitologia grega. Pigmalião era escultor e foi influenciado por Vênus, a deusa do Amor, a fazer a estátua de uma mulher perfeita. Ele fez e se apaixonou por ela. Vênus, então, deu vida à estátua, chamando-a Galateia. Eles se casaram e tiveram filhos e netos. Ou seja, a parábola mostra a capacidade de mudança que uma pessoa interessada no relacionamento com outra pode provocar, transformando-a em algo que ela não seria.

Éden percebeu que essa teoria funciona perfeitamente em vários setores da vida. No mundo corporativo, pesquisas mostram que a verdadeira crença do chefe no potencial de seus colaboradores faz com que eles aumentem sua produtividade. Ou seja, rotular as pessoas é totalmente contraproducente, como bem mostra o exemplo de Virna.

Leila já foi uma outra história. Como não a convoquei no primeiro ano, fui muito criticado. Sabendo que no fundo se tratava de uma guerreira, resolvi desafiá-la. Tecnicamente, ela era ótima, mas onde estavam a vontade e a motivação que eu tanto buscava? Em vezes anteriores, como me relataram na experiência de Barcelona, em 1992, Leila se acomodara no banco, aceitara sem lutar a condição de reserva, e isso não me servia.

No ano seguinte chamei-a de volta e ela, com outra postura, revelou-se uma jogadora muito importante. Mas em 1999 seu

TRANSFORMANDO SUOR EM OURO

rendimento caiu novamente em função de um problema pessoal, a doença da mãe. A ponto de ela perder a posição de titular para Elisângela, uma novata, nos Jogos Pan-Americanos daquele ano, em Winnipeg, em que vencemos Cuba na final.

Resolvi, então, ter uma longa conversa com ela: "Creio que seus problemas são dois, Leila. O mais sério, infelizmente, não depende de você. O outro, sim. Como é que você pode dar carinho, apoio e assistência à sua mãe quando ela percebe que você não está bem, não está feliz? Como toda mãe quer o melhor para a filha, se ela perceber que seu estado de espírito está afetando seu desempenho profissional, isso pode acabar prejudicando a recuperação dela."

Como palavras, só, não adiantam, tentei de tudo para reaver o que o voleibol de Leila tinha de melhor. Por "tudo" entenda-se uma única palavra: desafio. O Grand Prix de 2000 foi crucial nesse processo. Passamos 40 dias viajando pela Ásia (Tailândia, Indonésia, Filipinas) e é impressionante como Leila, bonita, feições finas, olhos rasgados de oriental, faz sucesso nesses lugares. Quando, durante os jogos, eu a substituía, o ginásio em peso me vaiava.

Leila por pouco não se rebelou. Mas percebeu qual era o meu objetivo e concluiu que aquele era o meu trabalho. Fui escalando-a aos poucos, até a chegada da Olimpíada de Sydney, na Austrália. Fizemos uma semana de adaptação em Canberra, onde disputamos um amistoso com a Austrália. Leila parecia outra, mais animada, concentrada no voleibol.

Ponho Leila, tiro Leila, e finalmente estreamos contra o Quênia. Na hora de escolher as seis jogadoras que iriam começar, apontei para ela, que reagiu meio espantada:

– Eu?

– Sim, você. Está pensando que vou lançar no fogo uma

menina de 20 anos? – disse, referindo-me a Elisângela. – Acha que vou deixar você, com toda a sua bagagem, no banco? Está muito enganada. Vá jogar!

Seria sua melhor atuação numa competição internacional. Ali estava, de volta à condição de titular, uma Leila que, desafiada e incentivada por isso, parecia ter se superado. Nunca tive dúvida de que o lugar ainda seria seu. Uma de suas grandes motivações para jogar bem era dedicar a medalha à sua mãe.

Faço um parêntese para contar uma história vivida pela seleção masculina da Polônia dirigida por Hubert Wagner, figura lendária na história do voleibol, também conhecido como "Carrasco". Depois de se sagrarem campeões mundiais em 1974, os jogadores acomodaram-se. Sabendo que dali a dois anos eles teriam o grande desafio olímpico em Montreal, onde enfrentariam a União Soviética, equipe tricampeã olímpica, e que seus comandados não pareciam muito motivados, Wagner estabeleceu uma inusitada rotina de treinamento.

Criou metas individuais para números de saltos com obstáculo de mais de um metro de altura, utilizando sobrecargas. Tentava levar os jogadores ao limiar da exaustão com exercícios que tinham muito de técnico mas, principalmente, muito de psicológico. Além disso, depois de cada treinamento, Wagner escolhia aleatoriamente atletas, em geral os mais jovens ou menos talentosos, e os criticava duramente na frente dos outros. Uma estratégia que parecia beirar a crueldade.

A rotina diária de maus-tratos fez com que os craques reagissem à provocação do treinador. Passaram a ter uma atitude de proteção em relação aos companheiros ofendidos e praticamente deixaram de falar com Wagner. O fato é que a estratégia deu resultado: a Polônia, com a equipe mais velha da competição, venceu os soviéticos e se sagrou campeã olímpica.

Ao comemorar, os jogadores se abraçaram, felizes, mas nenhum deles foi cumprimentar o treinador. Um jornalista estranhou o gesto dos campeões, mas Wagner explicou: "O único sentimento em torno do qual eu consegui unir e motivar essa equipe foi o ódio por mim." O que ele quis foi desafiar seus jogadores, pois sabia seu verdadeiro valor.

É claro que essa estratégia funcionou numa realidade política diversa, numa Polônia totalitária, onde muitas vezes as poucas chances de uma vida melhor advinham do sucesso esportivo. Wagner colocou em risco seu relacionamento com os atletas visando ao que acreditava ser o bem maior para sua equipe.

Sua intransigência e sua rudeza aparentes representavam na realidade um ato de "amor". Provavelmente a dor que ele sentia nos momentos de dura repreensão era a dor de um pai ao ter que ser rigoroso com seus filhos.

Hubert Wagner morreu de enfarte em 2002, enquanto dirigia seu carro em Varsóvia. Era uma unanimidade, considerado por todos, inclusive pelos jogadores que insultara, um "louco genial".

Em nosso primeiro ano na seleção feminina, 1993, Márcia Fu havia construído uma imagem de pessoa problemática, desmotivada, desinteressada por projetos que exigissem muita dedicação e sacrifícios. Eu não entendia por que uma jogadora de seu nível desperdiçava tanto talento. Fui vê-la jogar por seu clube numa partida do Campeonato Brasileiro e depois a procurei no hotel em que se hospedava. Fui objetivo:

AS MENINAS DO BRASIL

– Quero lhe dar uma chance na seleção brasileira.

Ela me olhou entre curiosa e surpresa. Prossegui:

– E você, quer essa chance?

– Quero. Fique certo de que não vou deixar você na mão.

– Eu também não vou deixá-la na mão – acrescentei. – Mas tem o seguinte: enquanto todas as outras jogadoras terão duas oportunidades, você só terá uma. Porque, pelo que me consta, você já andou queimando algumas por aí.

Seria, dali para a frente, uma questão de honra. Nos três anos em que Márcia Fu permaneceu conosco, não precisou de uma segunda chance. Com uma postura extremamente correta, brilhou como titular. Só deixou a seleção quando, em 1996, concluiu que era hora de tocar a sua vida de outra maneira. Mas foi um exemplo de como uma jogadora desacreditada, rotulada de problemática, soube se reencontrar no voleibol e tornar-se uma colaboradora preciosa para a equipe – uma segunda chance transformadora.

Fernanda Venturini era a capitã da seleção. Já a encontramos nessa condição. Em pouco tempo, porém, percebemos que ela talvez não fosse a jogadora ideal para a função, por já ter muitas outras atribuições como levantadora da equipe. Escolhi Ana Flávia para substituí-la. Atleta altamente dedicada e com uma permanente preocupação com o bem-estar do grupo, ela primava pelo equilíbrio nas atitudes dentro e fora da quadra. Nos treinos era sempre a primeira a chegar e a última a sair. Trabalhadora. Tornou-se uma grande capitã, que liderava pelo exemplo.

"DAR DE SI SEM PENSAR EM SI."
PAUL HARRIS

A questão era saber como Fernanda receberia sua destituição. Apesar de apreensivo em relação a isso, lembrei-me de uma conversa com Nuzman logo que assumi. "Há na seleção, Bernardo, uma jogadora muito talentosa que talvez você tenha dificuldade para enquadrar. Uma grande solista que não pensa muito na orquestra."

Era Fernanda. Nuzman tinha a impressão de que pouco importava se o time que ela defendia ficasse em quarto ou quinto lugar. Se ela tivesse jogado bem, feito a sua parte, tudo bem. Diante disso, fiquei receoso: como será que ela reagiria? Felizmente, muito bem. Fernanda revelava ali um lado altruísta que eu até então desconhecia.

O difícil veio depois. Dona de uma personalidade muito forte, Fernanda era uma atleta extraordinária, uma das estrelas do grupo. E sabia disso. O que eu quis, e lutei muito para conseguir, foi fazer que ela dividisse sua luz, sua excelência técnica, com as demais jogadoras. E que desenvolvesse a consciência da interdependência que existe no voleibol. Ou seja, que tirasse o foco de sua atuação e o direcionasse para a equipe – que se transformasse, enfim, de líder solista em líder servidora.

Chegou a ser conflituosa nossa relação nos primeiros meses de trabalho. Era ela de um lado, solista brilhante, e eu do outro, pensando na orquestra. Fernanda ouvia pouco, fazia o que achava importante e o que sua intuição mandava, sem prestar muita atenção às companheiras ou mesmo ao treinador. No entanto, se uma dificuldade surgia, ela me olhava, buscando uma orientação, um conselho.

Minha posição, no início, foi a de lhe negar a ajuda só procurada quando as coisas não iam bem. Pressionava-a nos treinos, exigia mais dela, impunha-lhe sacrifícios, animado pela

AS MENINAS DO BRASIL

esperança de que se transformasse numa verdadeira líder: aquela que, além de jogar bem, faz toda a equipe jogar melhor.

Foi na China, dias antes de estrearmos no Grand Prix, que Fernanda se rendeu. Já não suportava aquela pressão. Talvez tenha se conscientizado de que ninguém é excepcional o bastante para fazer sozinho o que deve ser feito em equipe. Finalmente nos entendemos. Eu, reconhecendo que talvez estivesse me excedendo. E ela, admitindo que deveria se entregar mais ao grupo.

Nos anos subsequentes, Fernanda se afirmaria como uma das maiores levantadoras do mundo, senão a maior. Seria o diferencial que mudaria a cara da seleção feminina. Seus solos continuaram brilhantes, mas perfeitamente afinados com a orquestra. Ajudou muitas companheiras a ampliar seus horizontes no voleibol, jogou e fez jogar, tornou-se líder.

Costumo brincar dizendo que briguei tanto com a Fernanda para transformá-la numa atleta mais completa, numa estrela mais solidária, que acabei me casando com ela.

NO VÔLEI COMO NA VIDA

ENCARAR OS DESAFIOS COMO GRANDES OPORTUNIDADES.

NÃO PROMETER O QUE NÃO PODE
OU NÃO PRETENDE CUMPRIR.
(A frustração é contraproducente, desagregadora.)

ENTENDER A IMPORTÂNCIA DE TODAS AS PEÇAS,
MESMO AS "CONSIDERADAS" MENOS IMPORTANTES.

CRIAR METAS IDEAIS.
(Estabelecendo passos intermediários
sem deixar de manter o foco no objetivo final.)

ACREDITAR NA FORÇA TRANSFORMADORA
DO EFEITO PIGMALIÃO.
(Quanto mais o chefe mostrar que acredita no potencial de seus
colaboradores e se dedicar a eles, maior será sua produtividade.)

NÃO ROTULAR AS PESSOAS.
(Motivadas e agradecidas por terem uma "segunda chance",
elas podem nos surpreender.)

CONCENTRAR-SE NO CONDICIONAMENTO,
NOS FUNDAMENTOS E NA UNIÃO PARA A FORMAÇÃO
DE UMA EQUIPE VITORIOSA.

As cubanas e nós

*"As oportunidades normalmente se apresentam
disfarçadas de trabalho árduo e
é por isso que muitos não as reconhecem."*

ANN LANDERS

A medição de forças com as cubanas marcou nossos anos à frente da seleção feminina. Os cinco confrontos que tivemos no primeiro ano nos deram a certeza de que o poderoso voleibol de Cuba cruzaria nosso caminho nos anos subsequentes, sempre como principal obstáculo à pretensão de chegarmos ao degrau mais alto do pódio. De fato, foram 27 jogos em sete anos: 13 vitórias para nós, 14 para elas.

Esse equilíbrio de resultados só reforçava nossa convicção de que o voleibol feminino do Brasil estava em condições de enfrentar de igual para igual as melhores equipes do mundo. Ao se sentirem incomodadas pelo nosso crescimento, as cubanas passaram a nos provocar dentro e fora das quadras, tentando nos desestabilizar – muitas vezes com sucesso, pois ao reagir caíamos nas armadilhas que elas criavam.

Infelizmente, no calor do momento, não percebemos que as crescentes provocações eram, na verdade, sintomas de insegurança das cubanas. Elas tinham desbancado a Rússia na Olim-

TRANSFORMANDO SUOR EM OURO

píada de Barcelona, em 1992, e não estavam dispostas a trocar tão cedo o ouro olímpico por metal menos valioso – daí os atritos: nós começamos a incomodar. Elas nos viam como uma verdadeira ameaça.

Em 1995, seguimos nossa trajetória, mantendo-nos nos três primeiros lugares dos vários campeonatos que disputamos – sempre no perde-e-ganha com as cubanas. E qual é a lição que fica desses confrontos? Que provavelmente precisaríamos ter trabalhado melhor a parte emocional das jogadoras, de forma a não perder o foco na execução de nossas tarefas, quando provocados.

Às vésperas do embarque para Atlanta, em 1996, vivi o angustiante momento de cortar alguém. Nunca esqueci quanto eu mesmo sofrera em 1977. Por isso, se fiz escolhas equivocadas (e certamente fiz algumas ao longo da vida), sempre tentei agir com isenção e senso de justiça. De qualquer forma, aquela decisão foi especialmente dolorosa.

Estávamos hospedados no Hotel Meridien, no bairro carioca do Leme, e embora eu não tivesse contado a ninguém quando deveria dispensar a 13.ª jogadora do grupo, elas sentiam que seria naquela semana. As mulheres têm essa sensibilidade, essa intuição, e percebiam que o momento de definição se aproximava. O corte de Denise foi um momento muito doloroso para todos, especialmente para essa atleta dedicada, que perdia ali a oportunidade de disputar sua primeira e provavelmente última Olimpíada, e eu era o responsável por aquela frustração. Tínhamos uma relação de amizade, que ficou abalada por algum tempo. Era compreensível que ela ficasse magoada.

Apesar desse episódio, chegamos motivados e confiantes a Atlanta. Nosso desempenho na fase de classificação era mais do que um atestado de que podíamos ser campeões: vencemos

AS CUBANAS E NÓS

todas as partidas daquela etapa, perdendo apenas um set. Vencer Cuba logo na segunda partida, em 75 minutos da mais absoluta superioridade, garantia ao Brasil o primeiro lugar no grupo e, naturalmente, fazia nascer um certo favoritismo entre nós.

A lamentar, apenas duas coisas. Ao fraturar o pé nessa partida contra as cubanas, Hilma me deixou sem opção para o resto do torneio, embora Virna a substituísse muito bem. A outra foi o que até hoje considero o meu maior erro de estratégia. Conquistamos a classificação para as quartas-de-final no primeiro lugar de um grupo fortíssimo, como havíamos planejado no início de nosso trabalho visando aos Jogos de Atlanta. "Vamos trabalhar para garantir o primeiro lugar do nosso grupo", disse. "Como as cubanas certamente serão as segundas colocadas, só nos cruzaremos de novo na final. Até lá, não precisamos nos preocupar com Mireya e companhia."

Com a perspectiva de só reencontrarmos Cuba com a prata já assegurada, prosseguimos. Sucede que as cubanas foram derrotadas também pelas russas, acabando não em segundo, mas em terceiro lugar do grupo. Com isso, depois de vencermos a Coreia do Sul, chegamos às semifinais contra quem? Cuba.

Não era isso que estava previsto, devem ter pensado as jogadoras. O treinador as preparara para enfrentar a China ou a Rússia, mas não Cuba na penúltima encruzilhada. A seleção cubana não era imbatível, como o 3 a 0 da fase de classificação tinha deixado claro, mas certamente suas jogadoras se superariam em momento tão importante.

Não tenho dúvida: aquela final antecipada gerou intranquilidade e insegurança na nossa equipe e, de certa forma, o jogo retrata isso. Ao fim dos 27 minutos do quarto set, quando tudo levava a crer que venceríamos, fomos para o *tie break* e perdemos.

TRANSFORMANDO SUOR EM OURO

A dor da derrota por 3 a 2 era grande, mas aumentou com a atitude das cubanas, que comemoraram seu êxito sem a mínima classe: saíram da quadra provocando e debochando das brasileiras, que reagiram. Um episódio lamentável para um jogo de campeãs: duas equipes se engalfinhando num espetáculo muito pouco olímpico.

No dia seguinte à derrota para Cuba, nossas jogadoras estavam cabisbaixas, desoladas, tristes. Algumas ainda choravam quando as encontrei pela manhã. Prevendo aquilo, busquei caminhos para reverter o quadro. Dentro de 24 horas teríamos que enfrentar as russas na disputa do terceiro lugar. Como deixá-las novamente motivadas?

Houve um episódio que certamente contribuiu para levantar o ânimo da equipe. Ao cruzarem com o pessoal do basquete na Vila Olímpica, Oscar Schmidt, uma lenda do esporte brasileiro, disse às jogadoras.

– Nada de desânimo, meninas. Vocês ainda podem ganhar a medalha de bronze amanhã. Eu, que nunca estive tão perto do pódio, trocaria minhas cinco Olimpíadas por uma oportunidade como essa que vocês conquistaram.

Muitos me criticaram por levar as jogadoras para a quadra, na véspera da decisão do terceiro lugar, e submetê-las a um treinamento exaustivo. Meu objetivo era que elas deixassem de lado as cubanas e pensassem nas russas. Quem sabe o esforço, o sofrimento, não as fizesse esquecer o dia anterior? Lá pelas tantas, uma resmungou: "Estou morrendo de dor nas pernas. Não vou conseguir jogar amanhã."

Não podia ser melhor. Elas já estavam olhando para a frente, para o próximo obstáculo, que era o que importava. Vencemos a Rússia. Uma vitória "extraída a fórceps": 3 a 2. O primeiro pódio olímpico do voleibol feminino do Brasil. O último ponto do *tie break* resultou de uma levantada de Fernanda para Filó cortar, firme, precisa. Um bronze merecido por todas, em uma heroica volta por cima. Nunca a frase "Grandes não são os que não caem, e sim os que se levantam" foi tão verdadeira.

A nossa revanche contra Cuba veio um mês depois de Atlanta. O clima na semifinal do Grand Prix estava tão quente que a Federação Internacional suspendeu duas jogadoras de cada lado, por causa do empurra-empurra dentro da quadra. No placar, o mesmo *score*: 3 a 2, agora a nosso favor. O jogo foi novamente seguido por uma briga, dessa vez provocada por nós.

Com Hilma e Ana Moser contundidas, tivemos apenas oito jogadoras para enfrentar a Rússia na final. Foi a vitória da superação. Ainda vejo Leila ajoelhada na quadra, chorando de alegria pelo segundo êxito brasileiro num Grand Prix.

As atividades foram relativamente menores em 1997. Ficamos em primeiro lugar no Campeonato Sul-Americano e no torneio de classificação para o Campeonato Mundial. A não ser pelo segundo set contra as peruanas na casa delas – um apertado 15-13 –, todos os outros 30 sets foram ganhos, como se dizia antigamente, "no capote", com o dobro de pontos ou mais sobre as adversárias. Já no Japão, não fomos além de um terceiro lugar na Copa dos Campeões.

Em 1998, voltamos a triunfar no Grand Prix, com expressivas vitórias sobre Cuba, ambas por 3 a 1, e novamente uma final contra as russas: 3 a 0. Não nos saímos muito bem no Campeonato Mundial: quarto lugar. Chegara ao fim o ciclo daquela equipe.

Por diversos motivos, 1999 foi o início desse período de tran-

TRANSFORMANDO SUOR EM OURO

sição: nove jogadoras se afastaram da seleção. Saíram Ana Flávia, Ana Moser, Ana Paula, Filó, Ida, Márcia Fu, Hilma, Sandra e Fernanda, com quem casei naquele ano.

A saída de Fernanda não teve nada a ver com o casamento. Não via impedimento em dirigir minha mulher (Fernanda já era quem era muito antes de minha chegada) nem me achava no direito de pedir-lhe que ficasse. Após uma década de treinos, concentrações, viagens e torneios pela seleção brasileira, ela achou que era hora de "dar um tempo".

Ficaram Fofão, Leila e Virna. Elas funcionaram como um elo de ligação entre a experiência da geração passada e o entusiasmo das estreantes. Assim, iniciamos um trabalho intenso visando aos Jogos Pan-Americanos em Winnipeg, no Canadá.

Com um grupo quase totalmente renovado, reforçamos o programa de treinamentos. A entrega era tanta que, numa etapa dos treinos, não percebi que estávamos trabalhando há 15 dias sem parar, de manhã e de tarde, sem qualquer folga. Foi quando soou o alerta dos companheiros da comissão técnica, evitando que eu errasse a mão e cometesse excessos. Pelo visto, a maratona valeu a pena. Aquele seria o primeiro teste para muitas delas. E o resultado foi excelente.

Venceram todas as partidas, batendo Cuba por 3 a 2 na fase de classificação, repetindo a dose numa final de grande intensidade contra as favoritas cubanas. Foi um *tie break* emocionante, chegamos a ver Mireya Luís, a maior jogadora de Cuba, dançando toda feliz no meio das companheiras que estavam no banco já se sentindo com mais uma medalha de ouro na coleção. Viramos o jogo, sendo o ponto decisivo conquistado com uma largada de Elisângela.

Ainda hoje tenho na cabeça o filme da final, a vitória, as

AS CUBANAS E NÓS

jovens Érika, Elisângela, Walewska e Raquel emocionadas, abraçadas, chorando. Depois as medalhas, o pódio, tudo muito significativo porque aquele era um time ainda em formação.

Do Canadá fomos para os Estados Unidos e de lá para a Ásia, onde mais um Grand Prix nos esperava. Ficamos mais de 50 dias longe do Brasil. Um desgaste brutal. Voltamos a vencer Cuba por 3 a 1 (foi a primeira vez que as cubanas não ficaram entre as quatro equipes finalistas), mas, no entanto, perdemos a final para a Rússia: 3 a 0. Em seguida a Copa do Mundo de 1999, que valia como classificação para os Jogos Olímpicos. Ficamos em terceiro lugar e garantimos o bilhete de ida para Sydney.

A história na Olimpíada de Sydney foi semelhante à de Atlanta, embora com muitos personagens diferentes. Também perdemos a semifinal para Cuba (3 a 2) e ficamos em terceiro lugar ao vencer os Estados Unidos por 3 a 0 – nessa que seria minha última partida com a seleção feminina, ainda que eu não o soubesse.

Como sempre, eu esperava mais. Não fui tomado pela mesma frustração de quatro anos antes. Se houve erros, foram outros. Lamento que tenhamos deixado escapar uma vitória que parecia certa, mas só. A geração que foi a Atlanta podia ser comparada à de prata do masculino, mas a que foi à Austrália era um grupo em transição.

A medalha de bronze foi uma conquista fantástica, considerando-se que aquele grupo contava apenas com três atletas remanescentes da seleção anterior. O modo como a seleção se renovara e ainda assim chegara ao pódio olímpico confirmava que do voleibol brasileiro não se devia esperar menos dali em diante.

Minha experiência na seleção feminina chegara ao fim. Olhando para trás, estou certo de que foram sete anos mais que positivos, embora sempre fique a sensação de que terá faltado alguma coisa. Inconformismo, insatisfação – sem isso, não se dá um passo à frente.

De minha relação com as jogadoras levo as melhores lembranças possíveis. Tivemos um convívio de respeito e de entendimento profissional, apesar das broncas e das queixas. Muita gente me questionava por causa do tom exasperado com que eu me dirigia à seleção feminina. "E aí, Bernardo, essas moças não reagem, não se sentem ofendidas com os gritos que você dá?"

Tenho plena convicção de que não. A cumplicidade que desenvolvemos, a confiança que creio ter transmitido a elas, no sentido de que o trabalho intenso era o caminho mais rápido para o sucesso, davam às minhas repreensões um caráter de contribuição para que as jogadoras evoluíssem sempre mais. Não eram ofensas, mas exigências.

"A BRONCA VEM SEMPRE ACOMPANHADA DE ALGUMA INFORMAÇÃO."
NALBERT

Algumas podem guardar mágoas, mas a maioria me trata até hoje com o carinho devotado aos velhos amigos. É claro que uma ou outra talvez chorasse ou me xingasse em silêncio, mas a maior parte me entendia. E me aceitava. É natural que num grupo de 20 pessoas, incluindo aí a comissão técnica, as afinidades que unem umas às outras não sejam as mesmas.

Certamente exagerei em alguns casos. Creio que errar na forma é aceitável, desde que não se duvide jamais da intenção. Nos momentos em que tive consciência de ter errado no tom, pedi desculpas publicamente. Foi assim quando estourei além da medida com a jovem Raquel, uma jogadora promissora que muitas vezes parecia demonstrar pouca perseverança e pouca intensidade durante os jogos. Fui grosseiro, reconheci e me desculpei, e o fiz na frente de todo mundo.

A CONFIANÇA É A BASE DE QUALQUER RELAÇÃO. E É SOBRE ESSE PILAR QUE DEVEMOS CONSTRUIR O RELACIONAMENTO COM NOSSOS COLABORADORES.

É de minha natureza procurar aprender com os próprios erros, embora, sinceramente, preferisse aprender com os erros alheios. Buscar causas, analisar equívocos, tudo para evitar que as falhas se repitam. As duas Olimpíadas, por exemplo. O consolo de termos sofrido apenas uma derrota em cada uma (nas duas vezes para a campeã Cuba, que, aliás, perdeu mais jogos que nós) não impede que eu me questione se não poderia ter obtido mais nessas competições.

Mesmo considerando que nas duas vezes enfrentamos a "maior equipe feminina do século", segundo a avaliação da Federação Internacional, a verdade é que chegamos muito perto. E isso sempre deixa no ar a dúvida: Fizemos o nosso melhor? Será que eu não poderia tê-las motivado mais, preparado mais, condicionado melhor? E se o fizesse, em lugar dos dois bronzes, poderíamos ter trazido dois ouros? É possível que sim. Essas indagações me acompanham até hoje.

O QUESTIONAMENTO CONSTANTE É UMA GRANDE FONTE DE CRESCIMENTO. E O CRESCIMENTO, POR SUA VEZ, É UMA FONTE DE SATISFAÇÃO.

O esporte, para mim, não se resume apenas em vitórias e derrotas. Principalmente se a vitória é encarada como a única tradução para o sucesso e se a derrota, inversamente, significa fracasso. É evidente que jogamos para vencer. Em qualquer tipo de competição, esportiva ou não, ninguém entra para perder ou mesmo sem ligar a mínima para o resultado.

Acontece que minha passagem pela seleção feminina me levou a refletir sobre uma questão: onde está o verdadeiro sucesso? No resultado de uma partida, de um torneio, ou no fato de aquela atleta, aquela equipe, mesmo perdendo, ter feito o melhor ao seu alcance? É claro que o comentarista, preso à sua objetividade, e o torcedor, escravo de sua paixão, não querem saber disso. Para eles, o placar, o título, o recorde é que atestam se uma performance é boa ou não. Só vale o resultado.

Para mim, sucesso é consistência em performance de excelência, é produzir resultados ao longo do tempo.

O balanço final, segundo os números da CBV, mostram que atingimos a maior parte da nossa meta inicial: em 27 competições que disputamos, estivemos em 24 pódios. Foram 195 vitórias em 241 partidas.

No entanto, os números não dizem tudo. O voleibol me ensinou essa lição. É evidente que a derrota me entristece. Nisso, sou igual a todo mundo. A diferença é que perder só me frustra e me deixa inconformado quando tenho a convicção de não termos feito o nosso melhor.

AS CUBANAS E NÓS

NO VÔLEI COMO NA VIDA

**TRABALHAR PARA FORTALECER A PARTE
EMOCIONAL, DE FORMA A NÃO PERDER O FOCO
NA EXECUÇÃO DE UMA TAREFA.**
(Quando provocado pela concorrência.)

**TENTAR ENTENDER OS PORQUÊS
DE UMA DERROTA, ASSUMIR SUAS
RESPONSABILIDADES E SEGUIR EM FRENTE.**
(Essa é a melhor forma de lidar com a derrota.)

**INCONFORMISMO, INSATISFAÇÃO – SEM ISSO,
NÃO SE DÁ UM PASSO À FRENTE.**

**NÃO EXISTEM ATALHOS PARA O SUCESSO, MAS O
TRABALHO INTENSO É A ESTRADA MAIS CURTA.**

**ERRAR NA FORMA É ACEITÁVEL,
MAS NUNCA NA INTENÇÃO.**

**O QUESTIONAMENTO É UMA GRANDE FONTE DE
CRESCIMENTO, E O CRESCIMENTO PERMANENTE,
UMA GRANDE FONTE DE SATISFAÇÃO.**

A Roda da Excelência

"Superação é ter a humildade de aprender com o passado, não se conformar com o presente e desafiar o futuro."

HUGO BETHLEM

Com os resultados e o reconhecimento decorrentes da bem-sucedida experiência da seleção feminina, comecei a ser convidado por empresas para dar palestras sobre o meu trabalho e a relação que o esporte tem com os desafios do mundo corporativo. A busca da excelência que eu aplicava no dia a dia com as jogadoras curiosamente parecia fazer sentido para aqueles executivos ávidos por novos modelos de liderança e de gestão.

Mais uma vez, percebi a necessidade de me preparar para atender a essa nova demanda. Fui buscar na Pirâmide do Sucesso do americano John R. Wooden a primeira inspiração. No entanto, a fórmula de Wooden, apesar de seu indiscutível valor, me passava uma sensação de imobilidade – e eu precisava de um modelo mais dinâmico. Foi quando comecei a esboçar a Roda da Excelência.

As novas experiências no esporte e as observações colhidas em um cotidiano marcado por constantes transformações levaram-me a criar uma proposta mais ágil: um corpo em movimento que gira, descreve círculos, evolui e dirige-se a um ponto determinado. Imaginemos que no centro da roda – como um eixo que a faz se movimentar, sair de onde está e ir em determinada direção – está a busca constante da excelência.

Distribuídos ao longo de sua circunferência situam-se os seguintes fundamentos: trabalho em equipe, liderança, motivação, perseverança/obstinação/superação, comprometimento/cumplicidade, disciplina/ética/hábitos positivos de trabalho.

A roda se movimenta sobre a estrada do planejamento rumo a um objetivo, uma meta. À medida que ela avança, cada uma das partes de seus seis grupos de componentes entra em contato com o planejamento para que a meta seja atingida.

No voleibol, isso representa o próximo jogo, o próximo campeonato ou a próxima temporada, mas no mundo corporativo poderia ser a próxima meta de vendas a ser batida ou a produtividade de uma determinada linha de produção.

Portanto, trata-se de uma figura em permanente movimento

A RODA DA EXCELÊNCIA

com os seus componentes (o centro e as partes) interagindo para servir ao planejamento que, por sua vez, é traçado conforme a meta.

META: ONDE QUEREMOS CHEGAR?
PLANEJAMENTO: COMO VAMOS CHEGAR?

No centro da roda estão a dedicação e o esforço para que sejamos cada vez melhores naquilo que fazemos. De preferência, melhores hoje do que fomos ontem. É o que leva o saltador em altura a colocar o sarrafo um pouco mais alto a cada dia, tentando elevar o nível de seu desempenho. Ninguém pode desligar e ligar um botão interno conforme sua vontade de buscar o próprio potencial. Ou se tenta o melhor sempre ou a roda não sai do lugar.

E não estou me referindo a metas do tipo vencer, ser campeão ou estabelecer um recorde. Tudo isso pode vir a ser consequência e não causa da busca da excelência, como bem mostra a conhecida fábula infantil sobre um menino que todo final de tarde empunhava sua atiradeira, caprichava na pontaria, esticava as tiras de borracha e disparava na direção da Lua.

A pedra caía logo adiante, mas ele continuou fazendo isso durante anos. Vendo-o persistir com tão esquisita mania, os amigos o interpelaram:

– Por que não para com isso? Não vê que você nunca vai acertar a Lua?

Ao que ele rebateu:

– Eu sei que não vou, mas a cada dia vou atirar minha pedra mais perto dela.

Enquanto o sucesso é um conceito muito pessoal, de múltiplas definições, a excelência significa realizar da melhor maneira possível aquilo que se pretende.

Trabalho em equipe

Para que essa busca seja bem-sucedida é preciso, antes de tudo, saber trabalhar em equipe. Trata-se de uma verdade que vale tanto para o mundo esportivo quanto para o corporativo. Posso assegurar que o voleibol é um dos esportes em que o sentido coletivo está mais presente. Nele, a única ação que se faz isoladamente é o saque. Todas as outras resultam de interações entre duas ou mais pessoas.

No basquete, um jogador pode fazer o que é conhecido como *coast to coast*, correr com a bola do seu garrafão até o do adversário e fazer uma cesta que é o resultado, único e exclusivo, da sua habilidade individual. Pensando nesse caráter coletivista, não concordo com a Federação Internacional e sua política de instituir prêmios individuais.

Meu argumento é simples: como posso ter o melhor atacante sem o melhor levantador? De que serve o melhor levantador sem um bom passador? Como posso ter o melhor time sem a soma desses talentos e sem as lideranças que os façam atuar juntos, integrados, uns em função dos outros?

Da mesma maneira, nas empresas surge a questão: por que premiar apenas o melhor vendedor? A lógica é a mesma do vôlei: as pessoas da área comercial atuam como atacantes, pois são elas que concluem a venda e fecham os contratos. Mas como marcar esse ponto sem a preparação efetuada pelos outros jogadores – sem uma boa levantada ou mesmo uma boa recepção? A resposta é simples: não dá. São as áreas de produção, de marketing, de logística e de administração, entre outras, que preparam a jogada para que a área comercial possa finalizar a venda.

A RODA DA EXCELÊNCIA

Não importa o tamanho de seu talento se você é incapaz de fazer parte de um grupo, de uma comunidade, e se dá mais importância ao "eu" do que ao "nós".

A escola de administração de Wharton, na Universidade da Pennsylvania, realizou um estudo sobre o *trade-off* entre talento e trabalho em equipe no mundo do esporte. Nele, o professor Lawrence Hrebiniak inspira-se no caso do jogador de futebol americano Terrell Owens para demonstrar como um gênio individualista pode ser nocivo ao grupo. Owens era o maior talento do Philadelphia Eagles, um time de futebol americano.

Vaidoso e egocêntrico, ele conseguiu se isolar de todos, companheiros e dirigentes. Até mesmo os torcedores passaram a hostilizá-lo por suas atitudes. Ao questionar até que ponto devia privilegiar a genialidade do jogador e abrir mão do espírito de equipe, o clube chegou à conclusão, depois de duas temporadas, que as magníficas recepções e os *touchdowns* de Owens não compensavam tanto estrago. Mandou-o embora. Segundo Hrebiniak, esse é um caso típico de talento negativo, de vocação destruída pela incapacidade de atuar em equipe.

Uma grande equipe é formada por talentos complementares. O problema surge quando cada um de nós começa a valorizar demais o seu em detrimento dos outros. No caso das atividades de alta visibilidade, o problema se potencializa porque a presença da mídia tende a exacerbar egos e vaidades.

É importante que não se entenda ego de uma forma negativa. Quando canalizado corretamente, ele pode se tornar uma fonte de motivação, de evolução – é o *team-ego,* termo que pode ser traduzido por ego de equipe. É a identidade que reflete a autoconfiança construída por uma equipe, sem que ela caia na armadilha da autossuficiência.

No livro *Russel Rules* (As regras de Russel), o ex-jogador e técnico do Boston Celtics, Bill Russel – que conquistou 11 títulos da NBA entre 1957 e 1969 –, anuncia a fórmula Ego = mc^2, fazendo uma analogia com Einstein: "Ego é a fonte de energia que você utiliza para estar totalmente presente e engajado. Se a energia for mal direcionada ou estiver ausente, o sucesso será impossível."

Liderança

A segunda parte da Roda da Excelência diz respeito à liderança. Aqui cabe uma pergunta: qual é a diferença entre o bom jogador e o grande jogador? O bom joga bem porque tem talento, ao passo que o grande, além de jogar, compartilha esse talento com seus companheiros, fazendo com que os outros joguem ainda melhor e a equipe vença.

Ser líder é dar o exemplo para que os outros saibam como se faz e se esforcem para repetir a tarefa no mesmo nível ou ainda melhor. Essa é a única liderança que se sustenta com o tempo. Nada do que você diz influencia mais as pessoas do que aquilo que você faz. Liderar é inspirar e influenciar pessoas a fazerem a coisa certa, de preferência entusiasticamente e visando ao objetivo comum.

No esporte temos a ideia de que o único líder é o capitão, a quem cabe comandar o time dentro do campo. Não acredito nisso. Quando cheguei à seleção masculina Nalbert já era o capitão, mas tínhamos outros jogadores que também "estavam" líderes: Giovane e Giba.

Ao longo de nossa caminhada, Ricardinho, Sérgio e Gustavo também passaram a dar sua contribuição. Afinal, uma equipe

A RODA DA EXCELÊNCIA

precisa de líderes no dia a dia que todos olhem como referência. São eles que ajudam o treinador, ou o gestor, a conduzir seu time (ou projeto) pela estrada do planejamento até alcançar a meta almejada.

O líder não decide ser líder – quem o escolhe são os outros. É o caso de Nalbert, que, por sua capacidade de realização e pelos seus valores e princípios inspiradores, se tornou o principal líder da seleção. Há inclusive uma frase em inglês que se aplica perfeitamente a ele: *"When the going gets tough, the tough gets going."* Pois é justamente quando as coisas se tornam difíceis que ele mais se põe em ação.

No estudo da liderança encontramos centenas de definições, mas recorro a Peter Drucker (grande guru da administração) para duas que considero especiais em razão de seu vínculo com o esporte: "Líder é tão-somente aquele que atinge resultados" e "Lideranças positivas nos levarão a um ponto além daquele que a ciência da administração diz ser possível".

A MISSÃO DO LÍDER E SUA CONTRIBUIÇÃO DE BUSCAR O MÁXIMO DE CADA UM MUITAS VEZES CONTRARIAM INTERESSES, MAS ELE DEVE SEGUIR SUAS CONVICÇÕES SEM BUSCAR POPULARIDADE, E SIM O MELHOR PARA A EQUIPE.

Motivação

Essa é uma porta que se abre de dentro para fora. É um processo que começa na seleção das pessoas que vão formar uma equipe. Uma escolha, aliás, que deve incidir sobre quem você acredita que possa motivar. A motivação baseia-se em dois pilares: o primeiro deles é a necessidade. Se você precisa, vai

TRANSFORMANDO SUOR EM OURO

"correr atrás" e se dedicar. O segundo é a paixão. Se você gosta, ama o que faz, vai querer melhorar sempre.

Nos anos 1980, durante a geração de prata, algumas vezes meu amigo e companheiro Montanaro me dizia para deixar o voleibol. Quando nos alojávamos em lugares muito ruins, comendo mal, ele sempre me dizia: "Bernardo, larga isso tudo, vai estudar e trabalhar com seu pai."

Montanaro, nascido numa família mais humilde, dedicava-se intensamente para aproveitar sua oportunidade, e a necessidade de vencer na vida criou nele uma obstinação permanente. Mas e eu, o que me movia? Ele tinha razão ao dizer que eu não precisava daquilo, mas o que me fazia continuar tentando sempre era a paixão: eu gostava demais de todo o processo, do dia a dia, mesmo cansativo, do esporte.

Depois de tantos anos dirigindo craques do futebol americano, Don Shula, técnico da equipe Miami Dolphins, afirmou que era impossível motivar alguns jogadores.

Por ingenuidade ou teimosia, acredito que devemos continuar sempre tentando e não desistir nunca. Pode ser que, quando tiver a experiência de Shula, eu olhe para trás e constate que, em alguns casos, não tive êxito, não soube apertar os botões certos. Só então mudarei meu modo de pensar.

Há uma história sobre motivação que eu adoro. É a respeito de um menino negro do Sul dos Estados Unidos que passou um Natal muito triste porque os pais não tinham dinheiro para comprar-lhe uma bicicleta como a que seus amigos haviam ganhado. No verão seguinte, o menino conseguiu um emprego temporário como carregador de caixotes numa mercearia. Durante três meses trabalhou duro e conseguiu juntar dinheiro para comprar a tão sonhada bicicleta. Felicidade total. Até que

A RODA DA EXCELÊNCIA

lhe roubaram a bicicleta. O menino ficou desesperado. Na polícia, ao dar queixa, foi atendido por um sargento que, vendo-o furioso, o encaminhou para o esporte. Mais especificamente, para o boxe.

O menino tornou-se lutador. Como amador, ganhou a medalha de ouro dos meio-pesados nos Jogos Olímpicos de Roma e depois, como profissional, o título de campeão mundial dos pesos pesados. Numa das explicações que deu para seu formidável portfólio de vitórias, ele contou que toda vez que subia ao ringue via no adversário o sujeito que lhe roubara a bicicleta. E partia firme para derrubá-lo. Era isso que o motivava. Seu nome? Cassius Marcelus Clay, depois Muhammad Ali.

Costumo brincar dizendo que se foi o roubo de sua bicicleta o que motivou Ali, devem ter roubado um carro do Mike Tyson para que ele quisesse arrancar a dentadas a orelha de Evander Holyfield.

Perseverança e superação

Para falar do quarto elemento da Roda da Excelência, mais uma vez recorro a um livro, *Nunca deixe de tentar*, de Michael Jordan. Rejeitado em sua primeira tentativa de jogar no time do colégio, Jordan foi para casa e trancou-se no quarto, decidido a não falar com ninguém. A mãe bateu na porta e o chamou para jantar. Ele não queria. Uma hora depois, preocupada, voltou a chamá-lo.

– Não quero sair, mãe – respondeu ele. – Quero me lembrar para sempre do gosto amargo de ter sido rejeitado. Para que, treinando ou jogando, eu me esforce tanto e de tal forma que ninguém me faça sentir outra vez o que estou sentindo agora.

Foi seu modo de superar o dissabor, não desistindo, dedicando-se com perseverança. E sempre haverá novas oportunidades para os persistentes como ele. Imagino a cara do técnico que o cortou – cujo nome a História não registrou.

Meu filho Bruno, hoje com 20 anos, também me deu um belo exemplo de capacidade de superação. Ele estava treinando com a seleção brasileira juvenil e uma noite me ligou dizendo que havia sido cortado da equipe. Pedia que eu lhe conseguisse uma carona para voltar para casa, pois não queria passar mais aquela noite na concentração. Fiquei com o coração partido ao ouvi-lo triste.

Na manhã seguinte fui acordá-lo. Ele, com a expressão cansada por sua primeira noite de insônia, me disse: "Pai, se o técnico me der uma segunda oportunidade na seleção, garanto que ele não vai conseguir me cortar." Nesse momento percebi quanto Bruno havia amadurecido e como usaria aquela decepção como motivação para conquistar seus objetivos. Deu certo. No ano seguinte ele disputaria seu primeiro Campeonato Mundial Juvenil pelo Brasil.

Dunga é outro caso impressionante. Os anos seguintes à Copa do Mundo de 1990, quando a seleção brasileira foi eliminada pela Argentina, ficaram injustamente conhecidos como a "era Dunga". A partir dali, tudo de ruim que acontecia no Brasil parecia ter o dedo de Dunga. Os preços subiam? Culpa de Dunga. O desemprego aumentava? Culpa de Dunga. É claro que estou exagerando. Ter seu nome usado como exemplo de um grupo de derrotados não é um peso fácil de ser carregado.

Carlos Alberto Parreira chegou a me revelar que só pôde relançar Dunga na seleção brasileira dois anos depois, mesmo assim num amistoso contra o Milan, na Itália. A perseverança opera milagres. E ele reconquistou seu lugar, virou peça impor-

A RODA DA EXCELÊNCIA

tante no esquema de Parreira, tornou-se capitão e ergueu a taça nos Estados Unidos pela conquista do tetracampeonato. Pergunto: um jogador com menos capacidade de superação aguentaria o que Dunga suportou?

Comprometimento e cumplicidade

Esses elementos formam a quinta parte da Roda da Excelência. Seguem juntos, interligados, condicionados um ao outro. Uma equipe tem de estar comprometida com o projeto que lhe é proposto, ou seja, vencer o adversário e ganhar o campeonato. Cada jogador, por sua vez, tem de ser cúmplice dos demais, ajudando, apoiando, participando, pois a meta, afinal, é a mesma. É para lá que a roda o guia.

COMPROMETIMENTO PRESSUPÕE DIVISÃO DE RESPONSABILIDADES. JÁ CUMPLICIDADE É FRUTO DE EGOS E VAIDADES SOB CONTROLE.

Patrick Lencione, em seu livro *Os 5 desafios de uma equipe,* mostra como manter um time coeso contando a história de uma empresa que tem os melhores talentos, o maior orçamento e as mais sofisticadas condições de trabalho, mas, mesmo assim, não é líder de mercado, o que leva os acionistas a interpelarem os diretores para tentar entender por que os resultados não são os esperados. Decidem, então, contratar uma nova executiva para assumir a presidência da empresa.

A primeira reação dos diretores foi de resistência: "O que veio fazer aqui essa executiva que não entende do que fazemos?" A resposta foi rápida: "Ela pode não conhecer profundamente o que a empresa faz, mas entende de pessoas." Nas primeiras reuniões com a equipe, a nova gestora logo identificou alguns problemas, como a pouca participação e a ausência de cobranças. Surgiu, então, a pergunta: como uma equipe com resultados frustrantes não se confrontava? Simples. Porque as pessoas não confiavam umas nas outras.

Segundo o autor, basta um elo da corrente se quebrar para que todo o trabalho em equipe se deteriore. A título de ilustração, ele desenha uma pirâmide com as cinco maiores disfunções a serem evitadas: na base está a ausência de confiança (que gera uma sensação de vulnerabilidade), seguida pelo medo de conflitos (que dá origem a uma falsa harmonia), pela falta de comprometimento (que produz um senso de ambiguidade), pela fuga de responsabilidades (que leva a um comportamento acomodado) e, finalmente, pela falta de foco em resultados (que permite que os interesses pessoais superem os interesses coletivos).

As pessoas só se sentem à vontade para cobrar e aceitar as cobranças quando existe confiança, e quando todos estão verdadeiramente comprometidos com os resultados.

Disciplina, ética e hábitos positivos de trabalho

Quando falo desses valores, a propósito da sexta parte da Roda da Excelência, refiro-me à dedicação ao processo de implementação daquilo que foi determinado, sem abrir mão da correção de gestos e atitudes que devem prevalecer tanto no esporte como na vida.

DISCIPLINA NÃO É SOMENTE IMPOR E SEGUIR REGRAS RÍGIDAS. É, SOBRETUDO, OBTER O ENVOLVIMENTO DE TODOS NUMA MESMA DINÂMICA DE TRABALHO.

Nada disso é possível sem uma equipe, líderes, motivação, persistência e comprometimento – ou seja, sem que haja uma conduta envolvendo todos os componentes da roda.

Na primeira Olimpíada da era moderna, em 1896, em Atenas, existia uma grande disputa entre as escolas italiana e francesa de esgrima. Eis que no combate pela medalha de ouro surgiu uma dúvida sobre um golpe. Como ainda não existiam equipamentos de alta tecnologia, com sensores na ponta dos floretes, os juízes se reuniram para tomar uma decisão.

A conclusão foi que o toque, que representa um ponto na esgrima, não havia acontecido. Ao reiniciarem o combate, um dos lutadores, no entanto, retirou sua máscara protetora e admitiu que havia sido tocado. Perdia ali sua medalha de ouro, mas mantinha uma atitude ética.

Lamentavelmente, vivemos num mundo em que a ética é cada vez mais rara. Um bom exemplo é o de Guga, nosso campeão de tênis, que sempre age com correção nos campeonatos que disputa. Contrariando por vezes a marcação do árbitro, Guga sempre corrige o ponto, mesmo quando é contra seu interesse.

TRANSFORMANDO SUOR EM OURO

Portanto, na ótica do trabalho há dois vetores a serem analisados: o técnico (capacidade profissional) e o ético (integridade moral). Acredito que esses são os elementos fundamentais para a perpetuação do sucesso de qualquer pessoa em qualquer ambiente.

Os pequenos e grandes atritos que ocorrem no relacionamento entre os jogadores, a ciumeira, a possibilidade de um querer aparecer mais que outro – tudo isso não deixa de ser um desvio de disciplina.

O sucesso traz sempre o risco de a vaidade se exacerbar e o ego se hipertrofiar, fazendo desaparecer a condição que fez do atleta um vencedor. O maior risco é imaginar que seja possível negligenciar essas questões, passando a acreditar que após uma conquista se torna desnecessário continuar "pagando o preço" por novas vitórias.

Como exemplos, cito os dois bicampeões olímpicos de vela, Robert Scheidt e Torben Grael. Modelos de dedicação, sobriedade e ética, eles não abrem mão de suas exaustivas rotinas. Apesar de colecionarem medalhas e títulos, eles souberam evitar as armadilhas do sucesso – e tudo o que elas representam.

Sempre que volto de uma competição, gosto de analisar em qual dos elementos da Roda da Excelência nos saímos bem ou não. Se atuamos como uma equipe, se nos faltou liderança e motivação ou se conseguimos nos superar pela perseverança.

Questiono ainda se mostramos comprometimento com o nosso projeto e se agimos ética e disciplinadamente. Enfim, se todos aqueles componentes giraram perfeitamente na estrada do planejamento.

A RODA DA EXCELÊNCIA

NO VÔLEI COMO NA VIDA

ENTENDER A IMPORTÂNCIA DO TRABALHO EM EQUIPE
(TEAM WORK).

INCENTIVAR LIDERANÇAS.

MANTER A MOTIVAÇÃO SEMPRE ELEVADA.

PERSEVERAR E BUSCAR SE SUPERAR CONSTANTEMENTE.

TRABALHAR O COMPROMETIMENTO E A
CUMPLICIDADE ENTRE AS PEÇAS DA
"GRANDE ENGRENAGEM".

DISCIPLINA E ÉTICA SÃO HÁBITOS QUE PERPETUAM
OS BONS RESULTADOS.

("Disciplina é o cimento moral que de um caos faz um bloco."
Mal. Leitão de Carvalho)

Aos campeões, o desconforto

*"A vontade de se preparar
precisa ser maior que a vontade de vencer."*
BOB KNIGHT

Pouco depois dos Jogos Olímpicos de 2000, nova mudança de vida. Convidado por Ary Graça Filho, à frente da CBV desde 1996, quando Nuzman assumiu o Comitê Olímpico Brasileiro, transferi-me da seleção feminina para a masculina. Já tinha sido sondado para o cargo anteriormente, mas não quis interromper o ciclo olímpico que completaria com as meninas em Sydney. Afinal, uma das grandes vantagens do treinador no voleibol é a possibilidade de ter mais tempo para trabalhar, para planejar a médio e a longo prazos.

Sucedi Radamés Lattari, meu amigo e grande treinador. Seu excelente desempenho diante de uma renovada seleção foi duramente criticado pela sexta colocação em Sydney. Dei continuidade a seu trabalho, tentando enriquecê-lo com alguns jovens talentos que surgiram na temporada 2000/2001 no Brasil. Levei comigo toda a "equipe Bernardinho", a comissão técnica que me acompanhava na seleção feminina.

Uma das perguntas que mais ouvi era como eu me sentia trabalhando com uma equipe de homens depois de passar sete anos treinando as meninas do Brasil. É óbvio que diferenças existem, mas nenhuma que tornasse minhas novas tarefas mais ou menos difíceis.

De certo modo, o relacionamento com um grupo de mulheres pode ser mais fácil na medida em que os sinais que elas emitem são mais claros. Demonstram melhor seus sentimentos, o que permite um ajuste mais fino da estratégia. Se a tensão é alta, diminui-se a cobrança, pois fazer pressão sobre quem está mal, triste e vulnerável acaba tendo o efeito oposto. Se estão tranquilas e felizes, esticamos a corda. Em contrapartida, numa equipe masculina essa percepção é prejudicada pela dificuldade (cultural) que o homem tem de revelar seus sentimentos.

No entanto, é preciso evitar que as emoções se tornem excessivas e venham a tomar conta da razão. É quando começam a surgir reações do tipo "Ele não gosta de mim", levando para o plano pessoal uma cobrança profissional.

Tento me manter o tempo todo atento aos nossos atletas para poder ajudá-los e incentivá-los. A saudade, por exemplo, sempre merece atenção especial. É penoso para todo mundo passar um mês ou mais longe da família, viajando de um país para outro, como acontece na época das competições internacionais.

Em várias ocasiões percebi que uma ou outra jogadora tentava vencer corajosamente seus momentos de melancolia. Os sinais são claros: tensão, estresse, impaciência e os intermináveis telefonemas para casa. Um jogador com o filho doente sofre, mas procura manter-se firme, enquanto com a mulher não há negociação: "Meu filho está com febre... Vou voltar pro Brasil." Quando elas deixam o emocional tomar conta, o profissional fica comprometido.

Quanto à questão técnica, trouxe valiosas experiências da im-

AOS CAMPEÕES, O DESCONFORTO

portância do desenvolvimento dos fundamentos, da repetição em busca do aperfeiçoamento dos gestos, das mecânicas de execução. Alguns críticos (inclusive do exterior) disseram que nossos treinos se pareciam muito com os das equipes femininas. Segundo eles, não havia espaço para esse tipo de refinamento técnico no mundo cada vez mais físico do vôlei masculino.

Seguimos nossas convicções e implementamos na equipe masculina o sistema que havíamos criado e que nos trouxera bons resultados.

Ao assumir as novas funções na seleção masculina, passei a refletir sobre as experiências vitoriosas das gerações anteriores. Não teria a "geração de ouro" – de jovens e grandes talentos como Tande e Marcelo Negrão, que conquistaram a primeira medalha de ouro do vôlei brasileiro – caído na mesma armadilha da "geração de prata"? O que tínhamos a aprender analisando aquelas vivências?

É FUNDAMENTAL QUE O LÍDER MONITORE INTENSAMENTE SUA RELAÇÃO COM OS COLABORADORES EM MOMENTOS DE SUCESSO.

A tendência é que após um ciclo de grandes resultados aconteça o que costumo chamar de cumplicidade perversa, que se caracteriza por uma permissividade excessiva e por uma negligência com os princípios essenciais que levaram a tais resultados.

A vitória pode levar os atletas a se acharem tão superiores que já não se dispõem mais a fazer sacrifícios, não se motivam para outros embates. É comum que um campeão não tenha tanta disposição para treinar e acabe entrando em um processo de acomodação – a tal armadilha do sucesso.

Com essa convicção, procuramos ficar sempre em estado de alerta em relação às ciladas que possam eventualmente surgir à nossa frente. É importante que os jogadores se mantenham fiéis à ideia de que "o fundamental não é ser bom, mas sim estar bem preparado".

A Liga Mundial de 2001 foi nosso primeiro grande desafio. Fomos campeões batendo os italianos na final por 3 a 0. É impressionante como o destino de um projeto pode ser definido por um detalhe. Exemplo? Na semifinal contra a Rússia, vencíamos por 2 a 0 e, depois de 10 minutos de interrupção, perdemos dois sets consecutivos, indo para o *tie break*. Estávamos em significativa desvantagem até que uma bola molhada de suor escorregou das mãos do levantador russo nos dando um ponto importante para a vitória. Se tivéssemos perdido aquela partida, teríamos conseguido um ciclo de tanto sucesso?

ATENÇÃO A TODOS OS MOMENTOS – A DECISÃO QUASE SEMPRE ESTÁ NOS DETALHES.

Eu diria que foi na preparação para esse torneio que os jogadores começaram a aceitar nosso ritmo de treinamento. Alguns reclamaram, disseram que eu exagerava, gritava muito, era intransigente e viciado em treino (ideia que até hoje fazem de mim). Mas, por outro lado, eles puderam conhecer mais de perto como eu e a comissão técnica trabalhávamos: estudando, fazendo planos, vendo vídeos, muitas vezes pela madrugada adentro, com o único intuito de transformá-los em uma equipe vencedora. E as coisas entraram em seu ritmo.

O ano de 2001 foi importante para a seleção masculina, que

ganhou quase todas as competições e reconquistou sua posição no circuito mundial.

Sempre que me perguntam quando, onde e como eu senti pela primeira vez que estava treinando uma equipe campeã, respondo, sem vacilar: foi no dia 22 de abril de 2002, no Centro de Treinamento do Exército, na Urca, cinco meses antes do Campeonato Mundial.

A Federação Internacional comunicara os valores dos prêmios em dinheiro para os destaques individuais, que muitos consideram um estímulo para que o jogador brilhe, mas eu entendo como um incentivo à vaidade, ao ego, podendo até criar desequilíbrio dentro do grupo.

Impressionantes US$ 100 mil seriam pagos nessas premiações. Só para fazer uma comparação, R$ 20 mil era o valor do prêmio da CBV para o título mundial. Bastava fazer a conta: o que valia mais, ser campeão do mundo ou ser eleito o melhor em seu fundamento?

Reuni os jogadores e lhes fiz a mesma proposta que as meninas tinham recusado em 1994: quem ganhasse o prêmio individual ficaria com a metade (US$ 50 mil), pelo esforço, talento e desempenho, e dividiria o restante entre os demais jogadores que o ajudaram a ter aquela performance. Concordaram. Demonstravam com isso não apenas desprendimento mas solidariedade, companheirismo e o espírito de equipe de que são feitos os grandes vencedores. Um exemplo de consciência coletiva.

Sensibilizava-me saber que a divisão de prêmios se tornaria regra entre eles. Basta ver como agiram no ano seguinte, na Copa do Mundo, no Japão. Como nenhum comunicado sobre

TRANSFORMANDO SUOR EM OURO

prêmios foi feito pela Federação Internacional, não se combinou coisa alguma. Imaginamos que Giovane, o melhor atacante, e Escadinha, o melhor líbero, receberiam troféus e nada mais.

Depois, já no ônibus que nos levaria ao hotel, meu assistente me informou: "Tem prêmio sim, Bernardo, US$ 50 mil para cada destaque." Quando vi Giovane e Escadinha dividirem os seus prêmios, soube que o combinado um ano antes se tornaria uma norma para aquele grupo: os prêmios individuais se tornaram coletivos.

Antes da alegria que nos estava reservada para os meses de setembro e outubro na Argentina, tivemos um agosto nada alegre em nossa própria casa. Foi justamente no ginásio do Mineirinho, em Belo Horizonte, que a primeira decepção na seleção masculina ocorreu. Chegamos à final da Liga Mundial, mas fomos derrotados pela Rússia por 3 a 1 diante de 20 mil pessoas.

Choveram críticas sobre nós. Umas pertinentes, outras nem tanto. Minha resposta foi buscar o que deveria fazer de diferente para que pudéssemos galgar esse último degrau que nos faltara na Liga Mundial. Lembrei-me então de uma conversa com Renan, meu amigo e companheiro da "geração de prata". Ele relatava seu desapontamento com as derrotas sofridas quando exercia o papel de treinador e a razão pela qual havia interrompido momentaneamente sua carreira. Quando lhe perguntei o que faria de diferente se voltasse a ser técnico, ele respondeu:

– Seria mais ousado, Bernardo. Tentaria coisas novas.

Enquanto eu escrevia este livro, Renan ganhou seu primeiro título como treinador. Pelo visto, ele também aprendeu com as lições do passado.

Ousar mais e continuar incentivando o espírito de equipe, sem esquecer que um time não é formado pelos melhores, e

AOS CAMPEÕES, O DESCONFORTO

sim pelos jogadores certos. Quebrar paradigmas e mexer na equipe que está vencendo, fazendo mudanças que levem ao crescimento. Essas eram as minhas prioridades no segundo ano à frente da seleção masculina.

Não basta escolher os atletas mais capazes, aquelas unanimidades que todo mundo acha que "não podem ficar de fora". É importante fazer com que esses talentos continuem produzindo resultados. A verdade é que não se forma um time com base no prestígio de um craque.

Fama não ganha jogo e o sucesso do passado não garante coisa alguma no futuro, a não ser a responsabilidade de tentar ser melhor do que já se é.

> **"NÃO DEVEMOS NOS ORGULHAR DE SER MELHORES DO QUE OS OUTROS, E SIM MELHORES DO QUE JÁ FOMOS."**
> **JAMES C. HUNTER**

É a Roda da Excelência sendo posta em prática: o trabalho em equipe sempre em primeiro lugar. E a escolha do melhor por sua capacidade de se encaixar no conjunto e, acima de tudo, por sua disposição de ser um *team player*.

Nalbert, que muitos apontavam como a estrela maior da seleção, é a confirmação disso. Em 2002, quando voltou de sua temporada no Japão, estava mal, técnica e fisicamente. Percebendo isso, todo dia de folga eu o levava à quadra para treinar, para dar aquele algo mais que o faria voltar ao nível dos demais. Cheguei a pensar que ele brigaria comigo por transformar nossas folgas num suadouro sem fim. Nada disso. Nalbert sabia quanto, jogando seu jogo, seria útil à equipe.

No fim do ano, quando ganhou o Prêmio Brasil Olímpico,

TRANSFORMANDO SUOR EM OURO

dado ao melhor atleta em qualquer esporte, ele subiu ao palco para agradecer à família, aos colegas de time, à comissão técnica, dizendo:

– Não é uma comissão técnica, mas um grupo comprometido com minha evolução. Quando eu chegava ao treino revoltado por ter perdido a praia, o convívio com a família, eles já estavam à minha espera, arrumando a rede, prontos para me treinar. Também abriam mão de sua folga, de seu lazer.

Ricardinho, o levantador reserva de Maurício, realizou o que parecia impossível: tornou-se um líder, ganhou a confiança dos companheiros e conquistou a posição de titular. Ou melhor, *estará* titular enquanto merecer, pela determinação e coragem e também pela disposição de ocupar a posição que soube conquistar.

Outros casos exemplares são os de Giovane e Maurício, ambos remanescentes da primeira geração de ouro, a de 1992 em Barcelona, e também da equipe que não passara do quinto e sexto lugares em Atlanta e Sydney. Cada qual tinha mais de 10 anos de seleção brasileira quando assumi, em 2001.

Maurício, um craque, foi nosso levantador titular até a Liga Mundial de 2003. Ao perder essa posição, era inevitável que sua primeira reação fosse de desagrado, pela condição de ídolo e porque a mídia aproveitava para pintá-lo como vítima de uma injustiça. Na primeira vez que foi para o banco, numa partida contra a Alemanha no Ibirapuera, a televisão focalizou-o cabisbaixo entre os reservas e, em seguida, mostrou seus familiares emocionados por vê-lo perder o lugar que por 13 anos fora seu.

Tudo muito natural, pensei. Naturais a tristeza de Maurício e a solidariedade da família. Natural também minha decisão de substituí-lo. Se não o fizesse, os outros teriam o direito de me

AOS CAMPEÕES, O DESCONFORTO

questionar: "Até que ponto o treinador está sendo correto com alguém que, neste momento, está realmente melhor que o outro?"

Maurício custou um pouco a se refazer. Ficou tão desanimado que alguns de seus companheiros duvidaram que ele merecesse estar entre nós. Conversamos a respeito de como aquela situação era desafiadora para ele e da minha confiança de que ele ainda aceitaria sua nova missão. E ele se tornou peça valiosa em nossa engrenagem. Uma experiência certamente dura que, tenho certeza, o fez amadurecer.

Com Giovane foi diferente. Depois de ter tido um ano complicado, e de uma tentativa pouco animadora no vôlei de praia, ele foi o primeiro a me telefonar assim que assumi.

– Bernardinho, aqui é o Giggio.

Custei um pouco a identificá-lo pelo apelido.

– Eu queria saber quais são os seus planos para mim.

Minha resposta:

– E eu quero saber quais são *os seus* planos para você.

Como titular ou como reserva, nos muitos torneios que disputaríamos nos próximos quatro anos, Giovane seria sempre um líder, um magnífico *team player*. Certamente o que melhor compreendeu que não se forma uma equipe sem bons reservas, sobretudo nos treinamentos do dia a dia – que representam um excelente desafio aos titulares, que têm de se esmerar para não ser superados por seus companheiros.

Com 13 grandes jogadores, podíamos sonhar alto. Giovane foi um dos que nos ajudaram a montar ali o que talvez tenha sido, pelo nivelamento dos valores e pela quantidade de opções, o mais completo grupo da história do vôlei no Brasil.

Muitos acreditam que o craque, o ídolo, seja de que esporte for, é por natureza um vaidoso crônico, dado a arroubos de gê-

TRANSFORMANDO SUOR EM OURO

nio intratável, de dono do mundo. Penso que a maioria não nasceu assim. A vida é que faz o ídolo ser o que é. Ao ter o talento descoberto, ele é tratado como um menino prodígio. Depois, no clube, a mesma coisa acontece. Dão-lhe privilégios; afinal, ele é "o craque".

Em seguida vêm o sucesso, o contrato milionário e todas as facilidades que a fama propicia. Ele passa a crer que tudo lhe é devido. E dele não se cobra tanto. Mas, na realidade, ele não percebe que alguns dos aspectos de seu enorme talento não foram devidamente trabalhados e que ele poderia se tornar um craque muito maior.

É IMPORTANTE CRIAR DIFICULDADES PARA OS QUE TÊM TALENTO. AS FACILIDADES OS LIMITAM.

Tento tratar de forma diferente pessoas diferentes, não permitindo que alguém se ache maior, melhor ou mais importante na equipe. Desafio sempre meus jogadores, o que às vezes pode incomodá-los além dos limites da tolerância, mas o importante é buscar o comprometimento de uns com os outros e de todos com a equipe. Ao evitar que se instalem zonas de conforto, eliminamos as inevitáveis complacências.

Algo que passou a me incomodar nas reuniões táticas que tínhamos no início de 2002 foi a pouca participação dos jogadores. Senti-me protagonizando monólogos. Eu falava e eles ouviam, sem retrucar ou dar sequer uma opinião. Isso me deixava com a sensação de que havia alguma coisa mal resolvida.

Não foi por outra razão que, em João Pessoa, durante a primeira partida contra Portugal pela Liga Mundial, incomodou-me ver o time jogando tão mal e os jogadores calados,

AOS CAMPEÕES, O DESCONFORTO

como se nada estivesse acontecendo. Era como se eles dissessem: "Se estamos vencendo, para que falar alguma coisa?" Irritado com essa postura, pedi tempo. E soltei os bichos em cima deles. Chamei-os de amadores, acomodados, irresponsáveis. Aposto que pensaram: "O cara enlouqueceu."

À noite, durante a reunião para análise do vídeo em que deveríamos discutir as estratégias para a partida seguinte, os jogadores, enfim, resolveram dar suas opiniões.

– Agora vocês querem falar? – perguntei em tom provocativo. – Vocês estão há um ano calados.

Pela primeira vez me contestaram. Gostei das reclamações que fizeram sobre a bronca aparentemente gratuita que lhes dera. Eu vivia me perguntando: "Será que eles pensam que eu nunca estou errado?" Temia estar ali o silêncio do comodismo, o distanciamento do não envolvimento e da não cumplicidade. É a típica situação em que, se ganharem, eles dizem: "Está tudo bem, ótimo, deu certo, era isso mesmo", mas, se perderem, esquivam-se, alegando terem se limitado a cumprir ordens.

Nesse caso, onde estaria o comprometimento, a verdadeira divisão de responsabilidades? Nossa intenção era desenvolver o senso de propriedade. Todos seriam responsáveis pelas estratégias e pela formulação desse projeto, que poderia terminar em vitórias ou derrotas.

O SUCESSO TEM MUITOS PAIS, MAS O FRACASSO É QUASE ÓRFÃO.

Um grande obstáculo à formação de uma equipe é a vaidade, um sentimento natural, desde que não extrapole os limites impostos pelo bom senso e pelo respeito ao próximo. É funda-

TRANSFORMANDO SUOR EM OURO

mental reconhecer as qualidades que não temos, não invejar os outros por isso e manter a vontade de trabalhar em grupo.

Para mim, egos inflados são os grandes vilões do trabalho em equipe e das relações interpessoais. Podem pôr tudo a perder. Certamente foram os causadores dos insucessos nas gerações anteriores, portanto eu me sentia na obrigação de alertá-los constantemente. Numa de nossas muitas conversas, Nalbert observou: "Puxa, Bernardo, você não para de falar em ego, vaidade..."

Realmente. Devemos monitorar não somente nossos atletas e colaboradores, mas nós mesmos. Pois não estamos livres de ser atingidos por esse sentimento. Imagine se eu, que brigo, grito e faço cara feia durante as partidas, não aceitasse que um jogador fosse se sentar no banco emburrado por ter sido substituído. Tenho que aceitar. Não o fazendo, achando-me com mais direito que o outro, terei sido vencido pelo meu próprio ego e perdido para sempre a capacidade de dialogar de igual para igual com o jogador.

⚘

Ainda em 2002, na Argentina, o voleibol brasileiro conquistava o primeiro título de campeão mundial. Enfrentamos Itália e Sérvia e Montenegro até chegar à final com a Rússia, num formidável *tie break*. Não dá para esquecer que, 20 anos antes, em 1982, havíamos perdido o mesmo campeonato, no mesmo Luna Park em Buenos Aires, para a então União Soviética por 3 a 0. E lá estávamos novamente enfrentando seus herdeiros.

Os dois primeiros sets (23-25 e 25-23) já antecipavam uma luta sem trégua. Vencemos o terceiro com mais folga (25-20), mas os russos voltaram a se impor no quarto (23-25). Estávamos na final do quinto set quando Giovane chegou para o sa-

AOS CAMPEÕES, O DESCONFORTO

que. Perfeito: golpe forte, bola dentro, quase na linha (15-13). Éramos os novos campeões do mundo.

Uma curiosidade. Na manhã do jogo tínhamos acabado de treinar quando Giovane continuou se exercitando mais um pouco nos saques. Todo mundo já estava se encaminhando para o ônibus e ele lá, testando um golpe, mais outro, outro mais. Acredite ou não, ele confidenciou aos companheiros qual era o objetivo do treinamento extra:

– Estou caprichando no saque que vai acabar com o jogo.

A quem pensar que dei a Giovane uma instrução do tipo "Vai lá e saca na linha", esclareço que não sou um estrategista tão poderoso. O que eu disse a ele foi muito diferente: "Giovane, entra e não perde o saque, pelo amor de Deus." E quem pensa que ele fez somente o último ponto do jogo também se engana: os últimos três pontos foram dele.

No seu treinamento extra pela manhã, não estaria Giovane criando as condições para a "boa sorte"? Na verdade, ele estava se condicionando para uma eventual oportunidade, que surgiu quando fiz aquela substituição no final do quinto set optando por sua experiência e por sua regularidade no saque. Ele estava preparado e virou as três bolas decisivas.

Mas a vitória foi da equipe. A quem duvidar, um dado interessante: os destaques individuais – André Nascimento como melhor atacante e Maurício como melhor levantador – terminaram no banco para que Anderson e Ricardinho brilhassem nas duas últimas partidas, confirmando a teoria de que uma equipe é formada por pessoas que têm um objetivo comum. Tão importante quanto ter esse objetivo é a consciência de que só o atingiremos com a participação e o esforço de todos, mesmo daqueles que possam parecer menos importantes.

De volta ao Brasil, Giovane e eu fomos convidados pelo apresentador Milton Neves para participar do programa de televisão *Terceiro tempo*. Outro convidado era João Carlos dos Santos, campeão mundial de fisiculturismo. Não muito alto, mas extremamente forte, ele mostrou todas aquelas posições que ressaltam a impressionante massa muscular que o levou a conquistar o título em sua categoria. Milton Neves perguntou-lhe como conseguia manter aquilo. Treinando, treinando muito, respondeu. O apresentador quis saber como ele se motivava para repetir a rotina exaustiva de levantar toneladas, aquela coisa toda.

– Eu me inspiro numa frase do Bernardinho – disse ele exibindo o muque. – É quando ele diz que a vontade de se preparar tem de ser maior que a vontade de vencer.

Fiquei lisonjeado, embora a frase não fosse minha e sim do técnico de basquete americano Bob Knight. Sua obsessão pelo treinamento extremo sempre me inspirou. E me levou a pensar: por que temos a pretensão de imaginar que temos mais vontade de vencer que nossos adversários ou concorrentes? Eles querem tanto quanto nós. Provavelmente a diferença, no fim, será proporcional ao empenho no processo de preparação.

Ser campeão do mundo é ótimo, motivo de alegria, de orgulho. Mas e depois? Como seguir em frente pensando na competição seguinte após conquistar um título mundial? Minha cabeça já estava focada em nossos próximos desafios. Ao encontrar-me no dia seguinte com a equipe no aeroporto, dei-lhes os merecidos parabéns, mas tratei de antecipar o que seria diferente em 2003.

– Vamos começar a treinar às oito da manhã.

AOS CAMPEÕES, O DESCONFORTO

Protestos veementes. Houve quem argumentasse que não havia grande diferença entre começar às oito ou às nove, desde que a carga horária de treinamento fosse respeitada. Bom argumento, mas não colou. A história se repetiria no fim do ano, após a conquista da Copa do Mundo no Japão: o início do treino passaria a ser às sete horas da manhã.

Sempre lancei mão desse e de outros recursos – que chamo de "zonas de desconforto" – para evitar que achassem que todas as suas metas já tivessem sido atingidas. O combate à acomodação é permanente. Ao garoto convocado pela primeira vez, se você diz que o treino começa às sete, é possível que ele pergunte: "Não pode ser às cinco?" Ele quer melhorar, está animado, cheio de gás. Já o campeão do mundo pode reagir de outro modo: "Por que não às dez?" Como já chegou lá, tende a relaxar. Por isso quero todos na quadra às sete da manhã.

Iniciamos a preparação em 2003 com uma viagem para a Holanda e a Espanha, onde faríamos uma série de jogos amistosos. Dizíamos com forçado bom humor que a agência de viagens que atendia a CBV não conhecia a máxima de que "a menor distância entre dois pontos é uma reta". Voo direto? Nunca. Fizemos escala em vários países antes de chegar a Amsterdã. Nossos jogadores, alguns com mais de dois metros de altura, sempre desconfortavelmente encolhidos na classe econômica. Foram mais de 20 horas de um voo que normalmente é feito em 13 ou 14 horas. Um sufoco.

Queria treinar assim que chegássemos, não importava o quanto estivéssemos cansados pela viagem. Entramos no ônibus que nos levaria ao hotel. O programa era mudarmos de roupa e irmos imediatamente para a quadra. O funcionário da Federação Holandesa, muito educadamente, avisou que não poderia haver treino naquele dia.

TRANSFORMANDO SUOR EM OURO

– Como não? – protestei. Lembrei-lhe que tinha acertado tudo antes de viajar.

– Hoje, 30 de abril, é feriado, aniversário de coroação da rainha Beatriz. Está tudo fechado, menos os bares, para o pessoal comemorar.

Ainda tentei de todas as formas convencer o homem a abrir o ginásio, mas não houve jeito. Os jogadores adoraram. Não haveria treino. Quer dizer, isso é o que eles pensavam. Chegando ao hotel, um prédio de três andares na periferia de Amsterdã, vi que existia um estacionamento ao lado. Ao vê-lo vazio, com um asfalto bonito, lisinho, pensei: "É aqui mesmo." Ao descer do ônibus, virei-me para os jogadores e disse:

– Subam, mudem de roupa e desçam que vamos treinar no estacionamento.

– No asfalto? – espantou-se um deles logo seguido de um coro de descontentes.

– Isso mesmo, no asfalto.

Treinamos, todo mundo emburrado. Mas é como eu digo: quanto mais emburra, mais tem que treinar. Por uma semana, não me dirigiram a palavra. Mas tudo passa. E mais importante: os jogadores conseguiram manter o condicionamento físico.

De volta ao Brasil, iniciamos a Liga Mundial com um grupo de 14 jogadores. Pretendíamos viajar com todos eles, mas a CBV, por questões de orçamento, exigiu que dispensássemos dois. Saíram André Heller e Marcelinho, naturalmente incomodados por não terem tido tempo suficiente de brigar por uma posição.

Partimos para a Itália e, para variar, nossa agência de viagem não descobriu nenhum voo direto. O destino era Florença, mas fizemos escala em Frankfurt e Milão, onde, segundo nos informaram, permaneceríamos cinco horas no mínimo. O que fazer?

AOS CAMPEÕES, O DESCONFORTO

Alugamos duas vans e fomos atrás de um lugar para treinar. Conseguimos uma academia para malhar.

No caminho de volta para o aeroporto os jogadores se queixaram de cansaço e desconforto. Eu sabia que eles iam ficar mais uma semana sem falar comigo, mas estava satisfeito: o objetivo havia sido mais uma vez alcançado.

Jogaríamos contra a Itália também em Brasília. Com uma lombalgia que se agravara durante a viagem, Gustavo estava fora. Decidi reconvocar André Heller, mesmo sabendo que ele ficara magoado com sua dispensa. Conversamos primeiro pelo telefone e depois por mais de uma hora no quarto do hotel.

– Ou você entende que não tive intenção de magoá-lo, pois minha decisão foi técnica e não pessoal, ou nada feito. Se voltar, é para ajudar a seleção, que agora precisa de você.

André Heller voltou com vontade de não sair mais e ganhou definitivamente seu lugar no time.

Depois de uma fase classificatória muito intensa, chegamos às finais da Liga Mundial na Espanha. Nossa chave: Bulgária, Rússia e Itália. Ficamos com o primeiro lugar no grupo e jogamos a semifinal com a República Tcheca (3 a 0).

Chegamos à final contra Sérvia e Montenegro, sem dúvida uma das partidas mais emocionantes de nossa trajetória. Os números do *tie break* não mentem. No quarto set, os sérvios estavam vencendo por 2 a 1 e 8-4, mas conseguimos virar o set com técnica e coragem – além da providencial entrada de Giba.

No quinto set tivemos seis *match points* contrários (antes de nosso primeiro), conseguimos resistir e fechamos o jogo em 31-29. Esse resultado ilustra bem o que separa um grande triunfo de uma amarga desilusão: no caso do vôlei, somente dois pontos. O céu para o vencedor, o inferno para o perdedor.

Vencer aquela final poderia levar alguém a dizer: "Bernardinho é um vencedor: grita muito, mas faz." Se tivéssemos perdido, na certa diriam: "Bernardinho é doido, grita muito e não consegue nada."

EM QUALQUER ATIVIDADE, DIFERENÇAS MUITO PEQUENAS PODEM MUDAR A PERCEPÇÃO DO MUNDO EM RELAÇÃO À NOSSA CAPACIDADE.

De volta ao Brasil, na entrevista coletiva que demos ainda no aeroporto de Cumbica, a primeira pergunta que os jogadores ouviram foi: "Como vocês conseguiram dar aquela virada?" A resposta: "Este ano nós não perderíamos jamais essa final, pois esse maluco nos fez treinar até no asfalto de um estacionamento."

Acredito na tese de que a vitória por uma diferença mínima, seja numa partida de vôlei (dois pontos) ou numa concorrência (margem de 1%), tende a favorecer aqueles que desenvolvem um sentimento fundamental para esses momentos decisivos – o do merecimento. Isso mesmo. Fizemos tanto por merecer que não permitiremos que nos tirem o que buscamos com muita luta.

Esse sentimento se contrapõe ao pior que pode existir – o arrependimento: "Se eu tivesse me preparado mais..." ou "Se eu tivesse estudado mais...". Quando alguém se questiona dessa forma, são grandes as chances de os "dois pontos" já terem passado para o outro lado.

Há ainda mais uma lição ilustrada nessa final tão equilibrada: a consciência do senso de urgência, a percepção de que não se pode desperdiçar nenhuma chance de dar o melhor de si. É preciso jogar cada ponto como se fosse o último. E entender cada oportunidade como se fosse a mais importante.

No caso de uma empresa fica a pergunta: por que as pessoas se dedicam mais nos dias que antecedem o fechamento de metas? O resultado final não é um somatório de ações? Imagine se todos se esforçassem com a mesma intensidade todos os dias. E se os profissionais de recursos humanos encarassem o treinamento como um processo contínuo. Certamente o resultado seria muito melhor.

Poucas semanas depois, a seleção masculina sofreria seu resultado mais decepcionante. Aconteceu nos Jogos Pan-Americanos, em Santo Domingo, República Dominicana. Não foi apenas a derrota para a Venezuela, uma equipe considerada inferior à nossa, e sim termos jogado tão mal e, o que é mais lamentável, sem o nosso já conhecido brilho no olhar, aquele que se vê nos verdadeiros campeões.

Tínhamos acabado de chegar da Espanha. Fomos recebidos como heróis, com desfile em carro aberto e tudo o mais. A mídia nos tratava como o novo *Dream Team* do voleibol mundial. Uma história que se repetia. A imprensa rapidamente criando ídolos, heróis, mitos, e com velocidade ainda maior destruindo-os ao primeiro tropeço. Foi assim, como "mitos imbatíveis", que chegamos para a competição.

Durante os Jogos fui convidado por treinadores de outras modalidades para falar aos seus atletas. De início, hesitei. O que iria dizer à equipe de handebol, por exemplo, se entendo tão pouco do esporte? Se aceitasse o convite, os críticos de plantão na certa diriam: "Que cara metido! Acha que sabe de

TRANSFORMANDO SUOR EM OURO

tudo..." E, se não aceitasse, poderiam dizer: "Ficou mascarado! Só porque é campeão não vem falar com a gente." Entre a cruz e a espada, achei melhor ir.

Pois foi exatamente na turma do handebol que encontrei parte da explicação para a derrota que ainda estava por nos surpreender. Fui apresentado aos jogadores pelo treinador Alberto Rigolo. Ao vê-los sentados no chão do quarto, levei um susto. Sua fisionomia estava séria, grave, lembrando aqueles piratas do cinema, de faca entre os dentes, prontos para tomar de assalto a caravela inimiga.

De seus olhos emanava um brilho impressionante. Pareciam tão zangados que cheguei a pensar em dizer: "Calma, moçada, sou brasileiro, amigo, estou torcendo por vocês..." Eles davam a impressão de que iriam "morder" os argentinos, com os quais jogariam no dia seguinte pelo ouro pan-americano e a automática classificação para os Jogos Olímpicos do ano seguinte.

Constatei na hora que não precisava motivá-los. Além de os argentinos serem nossos rivais históricos, o que já bastava para estimular qualquer brasileiro, aquela equipe de handebol tinha o essencial: o brilho no olhar, a paixão, a força interior que do *querer* faz o *poder*. E eles de fato venceram os argentinos em uma dramática prorrogação.

No caminho de volta ao meu apartamento, comecei a perceber que havia algo errado com a nossa equipe. O que eu tinha visto no olhar dos jogadores de handebol nos faltava naquele momento. De certa forma, antevi o que estava para acontecer. Após as vitórias iniciais, os "mitos imbatíveis" acabaram derrotados pela Venezuela nas semifinais. Salvamos o bronze em cima dos Estados Unidos. Foi decepcionante, mas ainda assim uma grande lição.

AOS CAMPEÕES, O DESCONFORTO

– E aquela derrota para a Venezuela, hein, Bernardinho? Já deu pra esquecer?

Não, não tinha dado pra esquecer. Nem eu queria pôr uma pedra em cima. Não queria e não podia. Um "chefe", mas não um líder, poderia tentar explicar a derrota falando coisas do tipo "Os jogadores estavam desmotivados". Ainda assim, de quem seria a culpa? Deles? Não. Minha, pois como treinador não tinha sido capaz de motivá-los.

Se alegasse que "eles não fizeram o que eu mandei", estaria mentindo, pois não mando em ninguém. A verdade é que eu não tinha sido suficientemente convincente para que eles fizessem aquilo que eu havia proposto. E perdemos.

Por que não admitir que eu cometera um erro de planejamento, não nos preparando para duas competições importantes separadas por tão curto espaço de tempo? Foi mais ou menos o que tentei dizer na entrevista coletiva depois da derrota.

É OBRIGAÇÃO DO TREINADOR, DO LÍDER, BUSCAR EM SI MESMO AS CAUSAS DO INSUCESSO E ASSUMIR RESPONSABILIDADES EM VEZ DE RECORRER A DESCULPAS.

No dia seguinte saiu num site que eu culpara os jogadores. Mentira. Mas eles, com razão, me interpelaram. Reuni-os e fui taxativo: se ao menos um entre eles acreditasse naquilo, podia pegar a mala e ir embora, pois estava fora da seleção. Mas, se toda a equipe pensasse daquela maneira, quem iria embora seria eu. Por um único motivo: sem a confiança deles, eu perderia a capacidade de liderá-los. Ninguém se manifestou.

A lição que ficou realmente tem a ver com o brilho que eu vira no olhar dos rapazes do handebol, mas que faltava em

TRANSFORMANDO SUOR EM OURO

todos nós. Se não houver paixão, se não houver comprometimento, tudo o mais é inútil. Se algum dia eu voltar a perceber isso num jogador, terei que afastá-lo da equipe. Não sei, ou não tenho certeza, se a falta de talento, de capacidade técnica, leva necessariamente ao fracasso. Mas sei que a ausência de paixão e de comprometimento, esta sim, é fatal.

Voltamos a enfrentar os venezuelanos em 2003, na final do Campeonato Sul-Americano, e vencemos por 3 a 0. Esse resultado nos classificou para a Copa do Mundo que se realizaria em novembro, no Japão. Era o único título ainda inédito para o voleibol masculino.

Seria diferente agora. Com uma grande atuação, o time se impôs com categoria e conquistou finalmente a cobiçada Copa do Mundo, carimbando o passaporte rumo à Olimpíada.

Para muitos era o sinal de que o fracasso na República Dominicana tinha sido um sonho mau que passou. Não para nós. Tão amarga quanto inesquecível, a lembrança do Pan estava bem viva, até para nos impedir de repetir os mesmos erros. Muitos acreditam que aquela derrota foi a pedra fundamental da construção da conquista do ouro em Atenas.

AOS CAMPEÕES, O DESCONFORTO

NO VÔLEI COMO NA VIDA

ASSUMIR RESPONSABILIDADES E TENTAR EXTRAIR LIÇÕES DAS DERROTAS PARA NÃO REPETIR OS ERROS.

O VERDADEIRO LÍDER DEVE SE MANTER SEMPRE ATENTO AOS SEUS COLABORADORES.
(Saber quando deve incentivá-los mais, desafiá-los menos ou não pressioná-los em determinada fase.)

TENTAR EVITAR AS ARMADILHAS DO SUCESSO.
(Não entre em processo de acomodação, não seja complacente. O fundamental não é ser bom, mas estar bem preparado.)

TER CONSCIÊNCIA COLETIVA EXIGE DESPRENDIMENTO, SOLIDARIEDADE, COMPANHEIRISMO E ESPÍRITO DE EQUIPE.

UMA EQUIPE NEM SEMPRE É FORMADA PELOS MELHORES, MAIS CAPAZES, MAS SIM PELOS COLABORADORES CERTOS.

UMA EQUIPE VENCEDORA TEM SEMPRE BONS RESERVAS.
(A competição sadia é um elemento motivacional.)

TER SENSO DE URGÊNCIA.
(Realizar cada tarefa como se fosse a mais importante. Jogar cada ponto como se fosse o decisivo.)

A última barreira

"Nós somos aquilo que fazemos repetidas
vezes, repetidamente. A excelência
portanto não é um feito, mas um hábito"

ARISTÓTELES

Sou uma pessoa inquieta, sempre preocupada, que passa a maior parte do tempo buscando mentalmente soluções para este ou aquele problema. Sou assim até em dias de vitória: enquanto os jogadores vão comemorar, tranco-me no hotel para estudar nossa atuação e decidir o que devemos fazer contra o próximo adversário.

Nada mais lógico, portanto, que minha inquietação fosse ainda maior durante o primeiro semestre de 2004, quando nosso trabalho de três anos estava para ser posto à prova nos Jogos Olímpicos de Atenas.

Belo Horizonte e Santo Domingo à parte, vínhamos de uma sucessão de vitórias, incluindo os títulos do Campeonato Mundial e da Copa do Mundo, até então inéditos. Para muitos, a seleção que eu treinava já atingira o seu ápice. Daí minha preocupação: como continuar subindo depois de chegar ao alto da montanha? Até onde poderíamos seguir esticando a corda na preparação da equipe? E esta continuaria sendo uma equipe ou alguns dos jogadores tecnicamente excepcionais já teriam caído nas armadilhas do sucesso?

Diante do favoritismo que eventualmente nos conferem antes de uma competição, prefiro agir como se fôssemos os "segundos favoritos", mesmo quando os primeiros somos nós mesmos. Desse modo, livres da condição de líderes, há sempre um adversário acima ou à frente para tentarmos ultrapassar. A ideia é imaginar exercícios de superação e nunca parar de se questionar: e agora? O que fazer para continuar crescendo?

> **A ÚNICA FORMA DE SE MANTER À FRENTE EM QUALQUER ÁREA É DEDICAR-SE AO PROCESSO DE PREPARAÇÃO COM PELO MENOS O MESMO ENTUSIASMO DO SEGUNDO COLOCADO.**

Eu não dormia direito pensando nisso. Bem antes de mim, John R. Wooden teve consciência de tais perigos. Dizia o famoso treinador americano que desejava uma única vitória a seus amigos treinadores, para que pudessem sentir o prazer do sucesso. Mas desejava "muitas vitórias" a seus desafetos, para que se afogassem no próprio sucesso.

Uma vitória, não mais que uma, era um presente. Muitas, pelo contrário, podiam levar o vencedor a iludir-se, a perder a essência das coisas e, acrescento eu, a cair numa armadilha.

A menos de um mês da estreia em Atenas, ainda no Centro de Treinamento em Saquarema, no Rio de Janeiro, assistimos a um vídeo trazido pelo repórter e amigo João Pedro Paes Leme, que acabara de cobrir o *trial* de atletismo americano em Sacramento, capital da Califórnia. As provas de qualificação realizadas pelo atletismo e pela natação dos Estados Unidos para os

A ÚLTIMA BARREIRA

Jogos Olímpicos têm sempre um alto nível técnico, pois são muitos os excelentes competidores.

Basta dizer que, na prova dos 400 metros com barreiras, nada menos que nove corredores conseguiram marcar tempos abaixo dos 49s estabelecidos como índice. Pois foi exatamente essa prova que nos fez racionalizar a preocupação de outro modo. Antes da final que classificaria os três primeiros colocados, Bershawn Jackson, o favorito absoluto, deu uma entrevista exibindo dois dentes de ouro: *"I go for the gold in Athens"*, dizia ele já se vendo no degrau mais alto do pódio olímpico.

Jackson era um jovem arrogante. Dizia que deixaria para trás os outros sete concorrentes e cruzaria a linha com o peito estufado de orgulho – orgulho de campeão, claro. Até que a prova teve início. Jackson liderou sem problemas os primeiros 100 metros, manteve-se na frente até completar 200 e parecia absoluto ao atingir a marca dos 300. Àquela altura, porém, começou a diminuir seu ritmo, imaginando que já poderia relaxar, por achar que seus competidores eram "inferiores". Só que, ao tentar vencer a última barreira, Jackson tropeçou, quase caiu e foi sendo ultrapassado justamente pelos três atletas que tinham os piores tempos. Por seis centésimos de segundo, ficou em quarto lugar e deu adeus ao seu sonho olímpico pelo menos até 2008.

Usamos o episódio para criar a imagem que nos parecia perfeita para o momento que vivíamos. O termo *olimpíada*, em seu significado original, refere-se ao intervalo de quatro anos entre os jogos na Grécia Antiga. Definimos nosso trabalho iniciado em 2001, visando a 2004, como um "ciclo olímpico". Mas ele também poderia ser comparado aos 400 metros corridos por Jackson.

TRANSFORMANDO SUOR EM OURO

Tínhamos sido ótimos nos primeiros 300 metros, mas tudo aquilo não significaria nada se não vencêssemos nossa última barreira, se não mantivéssemos nosso ritmo. Naqueles três anos criamos uma grande expectativa nos outros. Portanto, não podíamos nos esquecer da "última barreira" – os próximos 100 metros, naquele momento os únicos que realmente importavam.

EXPECTATIVA GERA RESPONSABILIDADE, O QUE LEVA À NECESSIDADE DE MAIS TRABALHO E A UMA ATENÇÃO AINDA MAIOR AOS DETALHES.

Lembro-me de que, antes de embarcar para os Jogos de Atenas, parei num sinal da Avenida Nossa Senhora de Copacabana. Um ônibus freou bruscamente. O motorista abriu a porta e, lá de dentro, sem qualquer cerimônia, me intimou:

– Bernardinho, ouro, hein!

As pressões sobre quem chega como favorito a uma competição como os Jogos Olímpicos começa em casa, nas páginas de jornais, nas telas de televisão e também nos bares, nas praças de esporte, nas ruas, nas esquinas, como se o país inteiro não se contentasse com menos do que o ouro. Ou como se aquele motorista, uma vez decepcionado, fosse querer passar com o ônibus por cima de mim.

Acredito que todos, jogadores e companheiros da comissão técnica, dividiam comigo as mesmas preocupações: de que 2004 era o fechamento de um ciclo e de como eram essenciais os últimos 100 metros. Passei os primeiros meses do ano sem pensar em outra coisa senão nas armadilhas que poderiam estar em nosso caminho e na importância de criar uma zona de desconforto para todos.

A ÚLTIMA BARREIRA

Antes de ver a fita do *trial* de Sacramento, senti que minha inquietação interior não era só minha. Logo na primeira reunião, em maio, percebi que todos tinham consciência da necessidade de fazermos mais do que tínhamos feito em 2003, se quiséssemos ter sucesso em Atenas.

A primeira zona de desconforto estava criada desde o início do ano, quando Nalbert sofreu uma lesão no ombro esquerdo. Operado em março, era desfalque certo para a Liga Mundial e uma dúvida até quanto a sua volta às quadras. Será que ele conseguiria se recuperar a tempo para a Olimpíada?

Capitão do time e peça fundamental em nossos planos, sua ausência já dava para arrefecer qualquer excesso de otimismo.

É bom ressaltar, no entanto, que em nenhum momento Nalbert duvidou que se recuperaria a tempo de se reintegrar à equipe olímpica. Esforçou-se para isso, cumprindo rigorosamente todas as etapas do tratamento.

Mesmo sem jogar, Nalbert nos inspirava com seu espírito elevado. Seu esforço e seu sofrimento no processo de recuperação nos contagiavam e nos levavam a não dar menos que 100% no nosso dia a dia.

Iniciamos a Liga Mundial vencendo todos os jogos da fase preliminar. Nesse período, um incidente com Ricardinho criou um certo estresse na equipe. Por não ter concordado com o cancelamento das folgas de terça-feira – resolução que tomei convencido de que, a menos de três meses dos Jogos Olímpicos, mais um dia de treino por semana seria proveitoso –, tivemos uma discussão dura. Não sei se pelo cancelamento da folga ou se por ter sido escalado entre os reservas num treino, o fato é que seu comportamento mudou.

Sendo o tipo de pessoa que se fecha mas não esquece, Ricar-

TRANSFORMANDO SUOR EM OURO

dinho amarrou a cara, desligou-se e quase não falava com ninguém. Ele não foi sequer ao nosso tradicional churrasco na concentração e, pior de tudo, passou a não se dedicar e a não se empenhar da mesma forma nos treinos. Eu não podia aceitar aquilo. Discutimos na frente de todo o time e até pensei em tirá-lo de um treino, quando de repente chegou uma equipe de televisão.

Enquanto Ricardinho engolia em seco, eu recolhia minhas armas. Tratava-se de uma briga interna, assunto de família. Não deixei que câmeras e repórteres percebessem o que se passava. Mas não o escalei para a partida seguinte.

Foi um momento de tensão. Aquele era o levantador titular, um dos líderes do time, um jogador imprescindível aos nossos planos. Não podia perdê-lo. Pedi a Giba que falasse com ele e a conversa não deu resultado. Outros jogadores tentaram e nada. Vi que o melhor seria eu mesmo lidar com o problema.

Depois de uma longa e acalorada discussão debaixo de chuva, que imaginei que fosse nos levar a uma ruptura definitiva, ele humildemente reconheceu que havia errado e agradeceu minha preocupação e minha orientação. Com isso, mostrou mais uma de suas muitas características de líder, assumindo suas responsabilidades e voltando ao seu melhor, jogando com a determinação que faz dele um atleta fora de série.

Apesar dos contratempos, fechamos a fase de classificação invictos. Seguimos para Roma, onde tínhamos um encontro marcado com a Bulgária, Sérvia e Montenegro e Itália para decidir o título de 2004. A bordo do avião que nos levou ia um novo desconforto. Rodrigão, com dores na perna direita, ressentia-se de um antigo problema, de modo que iríamos disputar a fase final tendo Gustavo, André Heller e Henrique como centrais.

A ÚLTIMA BARREIRA

Quando chegamos à capital italiana, juntei-me aos outros treinadores para uma entrevista coletiva. Fui logo deixando claro que, para mim, os favoritos ao título eram os sérvios, vindos de recente vitória sobre os italianos. Ponderei que o Brasil, num grupo de classificação relativamente mais fraco que o deles, ainda não tinha sido testado. Além de tudo, estávamos com dois sérios desfalques, Nalbert e Rodrigão.

Os outros treinadores pareciam não considerar muito esse último detalhe. Talvez achassem que eu estava querendo dissimular meu próprio favoritismo, o que, de certa forma, era verdade. Minha confiança na equipe ia além da preocupação com os desfalques. É evidente que continuávamos cuidando com atenção de nossas baixas.

Durante a competição, depois dos treinos matinais que se realizavam mesmo em dias de jogo, por exemplo, íamos com Nalbert para um clube perto do hotel e ficávamos horas orientando-o em exercícios específicos para os movimentos do ombro. Àquela altura faltava pouco para que ele pudesse voltar.

Na sexta-feira, 16 de julho, iniciamos a fase final vencendo a Bulgária por 3 a 1, não sem mais um susto: Giovane, agora capitão, saiu da quadra queixando-se de dores na panturrilha. Decidimos poupá-lo, pois precisaríamos muito mais dele em Atenas. No dia seguinte, vencemos Sérvia e Montenegro por 3 a 0. Estávamos na final contra a Itália.

Dia 18 de julho foi um domingo para não esquecer. O ginásio estava lotado: 13.500 torcedores, dos quais 500 eram brasileiros. Havia um evidente clima de rivalidade. Vencemos por 3 a 1 e nos tornamos tetracampeões da Liga Mundial.

TRANSFORMANDO SUOR EM OURO

A comemoração emocionada, e bem brasileira, acabou quebrando o protocolo em nome da alegria. Os jogadores correram até onde estavam Nalbert e Rodrigão, ambos à paisana, e os levaram para o pódio. Impressionante. Giovane levantando a taça e depois passando-a para Nalbert. Eram 14 lá em cima e também na volta olímpica, Rodrigão sendo carregado pelos companheiros.

Os dirigentes italianos ficaram furiosos com aqueles brasileiros abusados que desrespeitaram a proibição de mais de 12 no pódio. Paciência. O importante é que aquele gesto coletivo provava que o espírito de equipe, a união do grupo, estava cada vez mais forte.

Como de hábito, eu já começava a esquecer a vitória ao sair do ginásio. Já pensava mais adiante, no próximo adversário. Virei para os jogadores e disse:

– Muito bem, parabéns. Vamos comemorar, comer uma *pasta*, mas amanhã, às duas da tarde, faremos uma reunião no hotel.

Eles acharam ótimo. Dava para dormir até o meio-dia, pensaram. Enquanto isso, sozinho em meu quarto, eu bolava alguma coisa que estivesse de acordo com um de meus mentores, por sinal italiano: Maquiavel. Um plano realmente maquiavélico para afugentar a armadilha do favoritismo que se reabria diante de nós. No dia seguinte, por volta das duas da tarde, encontrei todos no saguão do hotel e disparei:

– O.k., pessoal. Agora mudem de roupa e vamos treinar.

A reação já era esperada:

– Está maluco, Bernardo? – brandiu um deles.

– Nós jogamos ontem! – frisou outro.

– Estamos cansados... – acrescentou um terceiro.

– Nosso voo pro Brasil é hoje à noite – lembrou um quarto.

Todos certos, todos cobertos de razão. Em condições normais, mereceriam folga. Mas não vi outra maneira de fazê-los transferir o foco de sua atenção da vitória da véspera para os dois amistosos que faríamos dali a 20 dias na França, que antecediam os Jogos de Atenas. Treinamos e, horas depois, voamos para casa.

Para aumentar minha preocupação nessa fase pós-vitória, uma pergunta feita na entrevista coletiva – que reuniu também a equipe técnica italiana – chamou minha atenção: os repórteres queriam saber como os italianos fariam para superar a seleção brasileira nessa reta final para as Olimpíadas.

Montalli, o técnico, respondeu: "Essa derrota em casa nos feriu muito. Vou usá-la como forma de motivação para treinar mais que nossos rivais nesse último mês." E eu, cá com meus botões, pensei: "É ruim, hein?" A única convicção que me acompanhava é que a atuação da equipe na final da Liga Mundial em julho não seria suficiente para nos garantir o ouro em agosto. Teríamos todos que descobrir uma forma de fazer melhor.

Desembarcamos em Cumbica na manhã de terça-feira. Eu e o médico Ney Pecegueiro do Amaral empurrávamos nossos carrinhos pelo aeroporto quando vi um repórter do *Diário de S. Paulo*, armado de caneta e bloco de notas, vindo em nossa direção:

– Esse cara tem sempre um alfinete guardado pra mim – comentei com Ney antes que o repórter me pudesse ouvir.

Não deu outra. Sem ao menos dizer "bom dia", foi logo perguntando:

– O senhor vai repensar seus métodos de treinamento?

Cheguei a armar uma resposta malcriada, mas me contive.

TRANSFORMANDO SUOR EM OURO

– Repensar meus métodos de treinamento? Por quê? Não estão dando certo? Perdemos algum jogo na Liga Mundial?

– Não, não perderam, mas o senhor está quebrando todo mundo, Nalbert, Rodrigão, Giovane...

Como assim? Nalbert tinha se lesionado no voleibol italiano, no começo do ano. Rodrigão se ressentira de um problema antigo e achamos melhor só o relançarmos com absoluta segurança de sua recuperação. Giovane já se sentia pronto para voltar ao time. Quem estava quebrando quem? Achei melhor não responder. Contei até 10 e continuei empurrando meu carrinho. No dia seguinte, a alfinetada começava pela matéria que trazia: "Bernardinho irritado não responde a perguntas sobre a seleção."

Como eu tinha mais com o que me preocupar, fomos para Saquarema nos preparar para a última escala antes de Atenas. Seria em Bordeaux, na França, onde faríamos dois amistosos contra a seleção francesa, também classificada para os Jogos Olímpicos, mas não no nosso grupo.

Foram duas semanas extremamente proveitosas. O complexo construído pela CBV em Saquarema, cidade praiana do Estado do Rio, é não apenas uma concentração ou um centro de treinamento, mas a combinação perfeita das duas coisas. O ótimo clima que se viveu ali nas duas semanas que antecederam nosso embarque para a França deveu-se à presença das esposas e dos filhos dos jogadores que foram se unir a eles.

Houve quem achasse ruim (há sempre alguém de plantão para achar que o certo é errado). De fato, muitos dirigentes e técnicos preferem seus craques enclausurados, longe de tudo. Mas as famílias estavam lá para repartir com a seleção brasileira a expectativa, a esperança, tudo. Alto astral. Os homens ao lado das esposas, brincando com os filhos – aquilo não era um privilégio,

A ÚLTIMA BARREIRA

e sim o direito de 13 ciganos do voleibol que passam a maior parte do ano voando, saltando de um continente para outro.

Aquela reunião também foi importante porque, sem que os jogadores soubessem, nossa estatística Roberta Giglio teve o cuidado de filmar depoimentos das mulheres e das crianças para mostrar a eles em Atenas.

Quanto à preparação, foi rigorosa. Onze jogadores cumpriam normalmente o programa de treinos, de manhã e de tarde, enquanto Nalbert se exercitava na areia e Rodrigão, ainda com dores, dependia de uma ressonância magnética para saber se viajaria ou não. Não sou religioso, mas queria tanto que Rodrigão fosse a Atenas que, de manhã – ele pronto para se submeter ao exame no Rio –, apontei para a igrejinha de Saquarema que se erguia no alto de um penhasco, de frente para a praia, e disse:

– Olha, Rodrigo, antes do exame, não custa nada dar uma passada pela igreja e rezar um pouquinho. Talvez ajude.

O resultado da ressonância autorizava Rodrigão a viajar para a França, mas a palavra final sobre os Jogos Olímpicos só seria dada lá, depois de novo exame. Foi assim, com 13 jogadores e algumas incertezas, que embarcamos para Paris. Além das médicas, levávamos conosco dúvidas técnicas: sendo Gustavo o titular absoluto, os dois outros centrais seriam escolhidos entre André Heller, Henrique e Rodrigão.

Em Bordeaux, às margens do rio Garonne, fica o centro esportivo em que nos hospedamos nos primeiros dias de agosto. O ginásio é muito bom. Tínhamos à disposição uma sala de musculação bem simples, mas satisfatória para treinar. Tudo parecia perfeito até que os jogadores foram conhecer seus alojamentos: quartos pequenos, sem telefone e sem televisão.

TRANSFORMANDO SUOR EM OURO

A primeira reação deles foi de indignação: "Esse paranoico está querendo isolar a gente do resto do mundo." Não era verdade. Jurei que não tinha a menor ideia de como eram os quartos. Se eles acreditaram ou não, pouco me importava. Tranquei-me no quarto já resolvido a aproveitar o inesperado desconforto para intensificar os treinamentos.

Entre um descontentamento e outro, os jogadores começaram a debater um assunto que é sempre complicado: os prêmios por medalhas. Achavam pouco o que a CBV lhes prometera por um possível êxito nos Jogos Olímpicos. Tinham outros valores na cabeça, até porque a maioria jogava na Itália, onde os valores são bem diferentes. Prudentemente, porém, não levaram a discussão adiante e decidiram não mais tocar no assunto, pois sabiam que era impossível medir em dinheiro quanto valeria o ouro olímpico.

Alheia a tudo aquilo, a imprensa continuava rasgando elogios à seleção brasileira. Voltávamos a ser os maiores, os melhores, os favoritos, os "mitos imbatíveis". Nem a má atuação na estreia contra a França – meio disfarçada por trás da vitória por 3 a 0 – diminuiu o entusiasmo da crônica especializada.

Minha insatisfação era dupla, pelos elogios e pela má atuação. Tenho medo da falsa e perigosa ideia de que, se você vence jogando mal, será invencível jogando bem. Corre-se o risco é de não ter a consciência de que se está mal e de talvez nunca mais voltar a ter um bom desempenho. Tive ao menos uma compensação naquele dia: Nalbert voltou ao time, jogou bem, deu mostras de estar quase recuperado e confirmou sua presença em Atenas.

Pior do que vencer jogando mal, só perder jogando mal. Foi o que aconteceu dois dias depois, na segunda e última partida con-

A ÚLTIMA BARREIRA

tra a França. Para espanto geral, perdemos por 3 a 1. Tentei mexer na equipe, testar algumas alternativas, mas nada deu certo.

Se realmente há males que vêm para o bem, ali estava um. A imprensa se mostrou mais contida, deu menos destaque ao nosso possível favoritismo do que ao fato de ter sido quebrada uma invencibilidade de um ano (a última derrota, para a Venezuela, tinha sido nos Jogos Pan-Americanos).

Aproveitei-me disso para criar mais um desconforto e testá-los mais uma vez. Marquei treino para as seis e meia da manhã seguinte. Ninguém protestou. Depois de uma derrota, geralmente não dá para reclamar de horário, quartos sem telefone e outros desconfortos.

Antes de sairmos do Brasil, consegui a fita do programa com que a Rede Globo comemorara o 10.º aniversário da Copa do Mundo de 1994, para assistirmos juntos. Esse parecia o momento perfeito. Eu sabia que ali, entre os depoimentos de jogadores e treinadores de futebol, estavam algumas lições que valiam a pena ser relembradas. Quase todos realçavam o trabalho em equipe, a importância da união e da solidariedade entre os jogadores.

O depoimento de Taffarel foi emocionante. Ele contou o que lhe passou pela cabeça durante a cobrança de pênaltis que nos deu o tetra. Quando Baggio foi bater o quinto e último para a Itália, estando o Brasil vencendo por 3 a 2, Taffarel pensou no que tinha acontecido até ali: ele defendera um dos dois pênaltis perdidos pelos italianos. Se Baggio perdesse mais um, o Brasil venceria. Taffarel torceu para que o famoso atacante italiano chutasse para fora. E explicou:

– Se eu defendesse mais um pênalti, talvez fosse considerado o único herói daquela história. Como Baggio mandou a bola por cima do travessão, o heroísmo foi de todos.

TRANSFORMANDO SUOR EM OURO

O episódio ajudava a explicar por que o Brasil ganhara a Copa do Mundo de 1994: aquela era uma equipe. Justamente como tínhamos sido por três anos e meio. Para aumentar o impacto da mensagem, exibi outra fita, esta compilada pelo jornalista e amigo Lúcio de Castro, com cenas de nossas melhores atuações desde 2001. Também sabíamos ser uma equipe.

Faltava um capítulo triste na história de nossa passagem pela França: o corte do 13.º jogador. Nalbert praticamente recuperado, Rodrigão passando no último exame médico, a dúvida ficava entre André Heller e Henrique. Carreguei-a comigo para Paris. Só pensava nos dois esplêndidos jogadores que mereciam toda a minha confiança e que, com talento e entusiasmo, tinham suportado tão valorosamente o peso dos nossos desfalques na Liga Mundial. Não conheço angústia ou inquietude maiores do que ter de tomar uma decisão desse tipo às vésperas de uma Olimpíada.

O cortado foi Henrique. Tomei a decisão apoiado em dados essencialmente técnicos. Embora eu tenha recorrido a um procedimento que não costumo usar – fazer o anúncio perante os jogadores e os colegas da comissão técnica –, poucas vezes me senti tão sozinho. Solidão que aumentou quando vi nos semblantes de todos o abatimento, a dor e as lágrimas. Era um grupo tão unido que a consternação seria a mesma, não importando quem estivesse no lugar de Henrique.

A ÚLTIMA BARREIRA

NO VÔLEI COMO NA VIDA

ENTENDER QUE A CONDIÇÃO DE FAVORITISMO ATRIBUÍDA A NÓS POR OUTROS DEVE SERVIR COMO SINAL DE ALERTA.
(Redobrar a atenção com os detalhes da preparação.)

SABER QUE AS VITÓRIAS DO PASSADO SÓ GARANTEM UMA COISA: GRANDES EXPECTATIVAS E MAIORES RESPONSABILIDADES.

CRIAR ZONAS DE DESCONFORTO PARA AFUGENTAR A ARMADILHA DO SUCESSO E TESTAR O COMPROMETIMENTO DOS VITORIOSOS.

Em busca do ouro

"Se encontrando a desgraça e o triunfo conseguires
tratar da mesma forma esses dois impostores, (...)
se és capaz de entre a plebe não te corromperes e entre reis
não perderes a naturalidade, serás um homem, meu filho."

RUDYARD KIPLING, *IF*

Chegamos a Atenas de noitinha. Durante as três horas de voo entre Paris e a capital grega, anotei num caderno algumas observações que pretendia passar aos jogadores. Nada que eles não soubessem, mas que mesmo assim nunca era demais repetir: a importância do que íamos viver, as preocupações, as armadilhas que podiam estar à nossa espera, o incômodo por nos considerarem favoritos e, acima de tudo, a convicção, a certeza mesmo, de que tínhamos feito o nosso melhor. No setor de desembarque, antes de recebermos nossas credenciais, resumi em poucas palavras o que eu tinha escrito. Demo-nos as mãos e, mais unidos que nunca, entramos na velha Grécia.

Pelo caminho, no ônibus que nos levava à Vila Olímpica, conversei especialmente com Nalbert, Giovane, Ricardinho, Giba e Gustavo sobre como deveríamos agir durante as próximas três semanas. Os horários de treinamento e das reuniões de estudo seriam sagrados, para todos obedecerem religiosa-

TRANSFORMANDO SUOR EM OURO

mente. No mais, devíamos ter certa liberdade. Quer dizer, nada de ter de acordar, tomar o café da manhã e fazer as demais refeições em conjunto. Enquanto estivéssemos lá, andar juntos deveria ser algo voluntário, espontâneo. Era importante que cada qual tivesse sua rotina. Teríamos uma programação básica, sim, mas a ideia de uma equipe unida deveria ser mais um estado de espírito do que uma obrigação.

A Vila Olímpica não era um lugar especialmente bonito, mas abrigava de modo funcional e confortável os milhares de atletas que iam chegando. Ocupamos os dois apartamentos do segundo andar de um dos prédios que abrigavam a delegação brasileira.

Cada apartamento do nosso andar tinha uma sala, quatro quartos e dois banheiros. Numa das salas fazíamos nossas reuniões, estudávamos os vídeos, trabalhávamos. Na outra a turma jogava truco, ouvia música, conversava, relaxava. No primeiro apartamento ficamos Ricardo Tabach e eu. No quarto ao lado, Chico dos Santos e José Inácio. No terceiro, Giba e Ricardinho, e no outro, Nalbert e Giovane. Os oito jogadores restantes dividiram-se pelas oito camas do segundo apartamento, separado do nosso por um pequeno hall.

Na manhã seguinte à nossa chegada, já estávamos entrando no ônibus para o primeiro trabalho na quadra. A programação praticamente não mudaria. Como os jogos seriam em datas alternadas – os do time feminino num dia, os do masculino no outro –, ou treinávamos de manhã e de tarde, na véspera, ou só de manhã, nos dias de jogo. A exceção se daria quando enfrentássemos a Holanda na fase de classificação, pois, sendo o jogo às dez da manhã, o treino ficou para a noite daquele mesmo dia.

Não haveria folga, ou seja, liberação para passeios pela

EM BUSCA DO OURO

cidade ou algo parecido. Era jogar, tomar banho, voltar para a Vila Olímpica, jantar, descansar e na manhã seguinte começar tudo de novo. No primeiro treino, saí feliz: os 12 jogadores pareciam prontos para a estreia.

No começo da noite de sexta-feira, 13 de agosto, realizou-se o desfile de abertura no Estádio Olímpico de Atenas. Alguns, por nunca terem vivido tal experiência, quiseram participar. Depois dos exercícios matinais foram se juntar aos demais atletas que representavam o Brasil na festa inaugural e em seguida voltaram para o jantar. Outros, cansados ou em tratamento, preferiram se poupar para o sábado, quando faríamos mais dois treinos para a estreia contra a Austrália. Eu, como de costume, revia vídeos, estudava, fazia planos e trocava ideias com a comissão técnica.

Já no domingo, dia 15, terminado o treinamento que fizemos horas antes da estreia, um repórter da *Folha de S. Paulo*, certamente estarrecido com a vitória no basquete de Porto Rico sobre os Estados Unidos, veio me abordar:

– Bernardinho, o *Dream Team* acaba de perder. O que você tem a dizer?

– Nada, não tenho nada a dizer – respondi.

Argumentei que o problema era dos americanos, dos treinadores, dos jogadores, de toda a equipe deles, e não nosso. O Brasil tinha jogado contra os Estados Unidos? Perdera para Porto Rico? Não? Então por que tínhamos que dizer alguma coisa?

Insatisfeito, o repórter veio com uma analogia:

– Mas você não dirige o *Dream Team* do vôlei?

– Não – respondi de pronto. – O meu é o *Reality Team*.

Sim, uma equipe que acordava cedo, treinava duro, dava tudo e muito mais. Suava, não media sacrifícios e não descan-

TRANSFORMANDO SUOR EM OURO

sava enquanto não atingisse a sua meta. Para os jogadores, era mais pesadelo que sonho. Éramos o *Nightmare Team* lutando por uma medalha. Uma luta cujos *rounds* decisivos o gongo já anunciara.

⚬

Domingo, 15 de agosto, a estreia. No vestiário, antes de trocar de roupa, André Nascimento tirou da bolsa a camisa número 5, a camisa de Henrique. Em voz baixa, me perguntou:
– Posso?
– Jogar com ela, não – respondi. – Você foi inscrito com a 9.
– Não, não, o que eu quero saber é se posso pendurá-la ali.
Era evidente que sim. A partir daquele dia e até que os Jogos Olímpicos chegassem ao fim, a camisa de Henrique ficaria presa por dois ganchos, aberta, no vestiário brasileiro, como se a marcar presença numa equipe que também era sua.

Nosso grupo de classificação era reconhecidamente o "grupo da morte", o mais difícil. Teríamos de cruzar, pela ordem, com Austrália, Itália, Holanda, Rússia e Estados Unidos, sempre no Ginásio da Paz e Amizade. Aparentemente, o primeiro adversário era o mais fácil, no entanto a derrota no primeiro set acabou por desmentir nosso favoritismo. Não jogamos bem, alguns jogadores em particular. Não só pela tensão da estreia, mas também porque a alta estatura da equipe australiana nos criou algumas dificuldades. Mas vencemos por 3 a 1.

Terça-feira, 17, a segunda partida. Conhecíamos de sobra o voleibol da Itália por termos enfrentado sua seleção tantas vezes – a última delas há menos de um mês – e porque a maioria de nossos jogadores atuava em clubes italianos. Sabíamos da sua força e não considerávamos a nossa vitória na Liga

EM BUSCA DO OURO

Mundial como garantia de que venceríamos sem problemas. A partida foi, de fato, cheia de altos e baixos: vencemos o primeiro set, perdemos o segundo, vencemos o terceiro, perdemos o quarto e fomos para o *tie break* (33-31). Uma emocionante vitória por 3 a 2.

Poucos perceberam um detalhe daquela vitória. Como Dante jogava mal (talvez sem confiar o suficiente em sua condição de titular), substituí-o no final do quarto set por Nalbert, que jogou muito bem, ajudando a equipe a vencer. Corri para abraçá-lo no fim da partida e ele, com ar sofrido, me disse:

– Bernardo, não estou conseguindo pôr o pé no chão.

Tentei acalmá-lo, não devia ser nada, um saco de gelo resolveria, mas não foi bem assim. As dores na sola do pé não o abandonariam por quatro dias. Sua entrada naquele *tie break,* por outro lado, deu a Dante a confiança que ele possivelmente ainda não tinha como novo titular. Se voltasse a jogar mal, ali estaria Nalbert para socorrê-lo.

Quinta-feira, 19, a terceira partida, contra a Holanda. A única realizada na parte da manhã, o que nos permitiria sair pela primeira vez da Vila Olímpica para um almoço fora, uma cerveja, uma relaxada, todos juntos. A equipe merecia isso, já que contra os aplicados holandeses, num jogo enjoado, difícil, mostrou ter atingido o melhor de sua força física e mental. Concentração absoluta na vitória por 3 a 1.

Terminada a partida, Giba era só emoção. Pela vitória e pela grande notícia que lhe chegara às cinco da manhã do dia anterior: Nicoll, a filha dele com a jogadora romena de vôlei Cristina Pirv, acabara de nascer. Em uma reportagem de televisão ele pôde ver as duas num hospital de Curitiba.

Giba é um menino de ouro, dono de um coração imenso. É

TRANSFORMANDO SUOR EM OURO

o nosso líder astral, dono de uma energia contagiante. Daqui a 30 anos, quando eu me lembrar de Giba, será muito mais pela sua generosidade do que pelo gênio do vôlei que indubitavelmente ele é. Há uma frase em inglês que é sua melhor tradução: "*Be your best when your best is needed.*" Ou seja: "Dê o seu melhor sempre que a situação exigir", e ele se entrega de coração nas situações mais adversas, sempre buscando auxiliar seu grupo.

Sábado, 21, a vitória que nos garantiu a classificação para as quartas-de-final. O adversário, a Rússia. Nossa melhor atuação em todo o torneio. Uma partida difícil que a seleção brasileira tornou fácil. Os russos tinham uma equipe alta, tradicionalmente forte, uma das mais credenciadas para o título. Taticamente perfeitos, nossos jogadores foram para cima deles com agressividade. Mesmo no terceiro set, quando os russos mostraram um pouco mais de gás, sufocamos seu esboço de reação: 3 a 0.

No fim, ainda na quadra, dirigi aos jogadores rápidos elogios – "Valeu", "Foi bem" – para logo em seguida enfatizar que a grande vitória não valeria coisa alguma se não continuassem jogando bem e focados. Enfim, se não caíssemos na velha armadilha. Ficamos sabendo depois que uma combinação de resultados nos garantira o primeiro lugar no grupo mais difícil. Era preciso ter cuidado.

Segunda-feira, 23, a quinta e última partida da fase de classificação. Garantido o primeiro lugar no grupo, o que fazer contra os Estados Unidos numa partida que apenas cumpria tabela? Sabendo que poderíamos reencontrá-los mais na frente, uma vez que também eles estavam classificados, lembrei-me de um conselho de Bebeto de Freitas: "Bernardo, se algum dia você jogar contra os americanos só para cumprir tabela, esconda o jogo, pois eles vão usar nossas armas contra nós mesmos."

A ideia, obviamente, não era perder de propósito, e sim não mostrar tudo. Os americanos têm um eficientíssimo time de analistas que estudam minuciosamente o adversário antes de enfrentá-lo. Isso já tinha acontecido em Los Angeles, em 1984, quando nossa vitória por 3 a 0 deu-lhes a chance de nos analisar e devolver o placar na decisão. Como se não bastasse isso, eu já pensava na Polônia, nossa adversária nas quartas-de-final.

Jogamos mal e desestruturados, errando muito. Ao substituir três titulares no início do jogo, o técnico americano parecia pensar como eu: nada de pôr as cartas na mesa. Apesar disso, levou a melhor: 3 a 1. Assim como a vitória sobre a Rússia não nos inebriara, a quebra da invencibilidade na quinta partida não nos atirava uma ducha de água fria. Nossa equipe havia amadurecido.

Quarta-feira, 25, a Polônia. Esse jogo era aguardado com especial ansiedade, para não dizer apreensão. Um dos motivos era o fato de ser a primeira partida da fase do mata-mata: quem ganhasse passava para as semifinais e quem perdesse voltava para casa. Portanto, pela primeira vez naquela Olimpíada estava em jogo todo o trabalho a que nos entregáramos por três anos e meio. O segundo motivo era que, em nossa trajetória, a Polônia era o único país com vantagem de vitórias nos confrontos conosco. Terceiro motivo e o mais relevante: a seleção polonesa era de fato muito forte.

Dada a importância da partida, exibimos na véspera o vídeo que Roberta Giglio tinha produzido em Saquarema: mulheres e filhos dirigindo carinhosas mensagens aos maridos e pais. Foi uma surpresa para os jogadores, que ajudou a lembrar-lhes

TRANSFORMANDO SUOR EM OURO

como eram queridos, amados e que não podiam ser medidos somente pelo número de vitórias ou derrotas na quadra. Emoção geral. O choro que se esboçou em alguns rostos foi substituído pelos risos provocados por cenas do vídeo: a mulher de um se retocando, o filho deste brincando com o daquele, outro fazendo bagunça.

Assim que chegou ao vestiário e antes mesmo de se preparar para o aquecimento, Giovane escreveu uma mensagem: "Ninguém treinou tanto, ninguém merece mais que nós... e certamente ninguém acordou mais cedo." Aquelas palavras tocaram toda a equipe, recordando-nos de toda a dedicação ao processo de preparação. Verdadeiras em sua essência e contagiantes em seu propósito, vinham do nosso cocapitão, atleta exemplar, um autêntico líder.

Sabendo que aquela era sua despedida da seleção, Giovane empenhava-se para concluir bem a sua obra. Ele agia como um verdadeiro campeão olímpico, que de fato era. Jamais posara de superior ou de mais importante que os companheiros, pelo fato de ter conquistado a medalha de ouro 12 anos antes nas Olimpíadas de Barcelona. Pusera de lado todo resquício de vaidade para ser apenas mais um. Conhecendo os atalhos do sucesso e também as armadilhas, atuou como um general com a humildade de um soldado, ajudando a comandar um exército de craques do vôlei.

E o jogo? Os poloneses tinham um saque muito forte e chegaram a colocar cinco pontos de vantagem no primeiro set. Cada saque era uma bomba que caía em nossa quadra. Pensei comigo mesmo: "Já sei, vai ser um daqueles sofrimentos terríveis..." Não estaria se repetindo ali a decepção de Sydney, o Brasil, o primeiro do grupo, tropeçando na Argentina nas quar-

EM BUSCA DO OURO

tas-de-final? Não. O time começou a acertar, firmou-se e venceu por 3 a 0.

Sexta-feira, 27, a semifinal. Como tínhamos previsto, um novo duelo com os Estados Unidos. Um dia antes, eu havia passado pelo momento mais triste que vivi em Atenas. Estávamos treinando no mesmo horário em que o Brasil enfrentava a Rússia na semifinal feminina. Éramos nós na quadra e o José Inácio se informando por telefone sobre o andamento da partida. "Um a zero pra nós", disse-me ele ao fim do primeiro set. "Dois a zero", acrescentou depois. As russas ganharam o terceiro set. Quando vencíamos por 24 a 19 o quarto set, José Inácio sumiu do ginásio. Só voltou para dizer: "Vamos para o *tie break.*"

Paramos o treino. Não só porque já era hora, mas principalmente porque nenhum de nós estava em condições de pensar em outra coisa senão no quinto set. Os jogadores tentaram diminuir minha ansiedade, mas não conseguiram. Na véspera de nossa semifinal, esquecemos os americanos para torcer pelas brasileiras diante de uma pequena televisão instalada numa das salas do ginásio. Perdemos. Uma derrota dolorosa que por alguns momentos, apenas alguns momentos, abalou nossos rapazes. Eles logo se recuperaram, mas eu custei um pouco mais. Na verdade, fiquei mal. Chorei por aquela derrota.

Senti muito que a equipe feminina, onde atuavam minha mulher e várias ex-comandadas, deixasse escapar a vitória que estivera em suas mãos. Do ponto de vista pessoal, claro, senti mais por Fernanda, que dois dias depois ainda perderia a medalha de bronze para Cuba. Ela merecia despedir-se da seleção brasileira com mais uma medalha olímpica à altura de seu enorme talento, por toda a sua história e sua contribuição

TRANSFORMANDO SUOR EM OURO

para a seleção feminina de vôlei. Mas era preciso que eu virasse aquela página, apesar do abatimento.

Então vieram os americanos. Novamente eles. Sempre eficientes e surpreendentes. Talvez por acreditar que o nosso ritmo fosse o mesmo da partida anterior, eles ficaram surpresos com a velocidade e a concentração do nosso time. Vitória digna de um finalista olímpico: 3 a 0. Talvez para mim, remanescente da geração de prata, uma vitória ainda mais especial: a esperada revanche depois de 20 anos.

Domingo, 29, a grande final. Os italianos tinham marcado implacáveis 3 a 0 sobre os russos na outra semifinal. Não posso negar que ficamos impressionados com o vôlei que haviam jogado. No sábado treinamos como sempre e depois fomos assistir ao DVD do jogo que Roberta Giglio editara, aplicando meticulosa estatística para mostrar as preferências e os posicionamentos do nosso próximo adversário. Foi quando, depois de estudar o que os italianos já haviam feito até ali, perguntei a Chico dos Santos o que eles poderiam tentar fazer de diferente.

– Nada, Bernardo – garantiu. – Eles não tiveram tempo para inventar coisa alguma. Farão bem aquilo que eles fazem bem, o que já é muito. Mas não acredito que mudem seu padrão de jogo numa final olímpica.

Não consegui pregar o olho na madrugada de sábado para domingo. Já de manhã, depois de passear pela Vila Olímpica e refletir sobre os três anos e meio que nos levaram até ali, voltava a pensar na final e nos italianos. Tínhamos uma reunião marcada para as onze horas, depois de os jogadores terem malhado com José Inácio. Em seguida, uma refeição leve e a saída para o Ginásio da Paz e Amizade. Viagem tranquila, jogadores descontraídos.

EM BUSCA DO OURO

No vestiário, algumas palavras. Só para falar a eles de meu orgulho e de minha confiança. Exigência, apenas uma: que saíssem daquela final tendo deixado na quadra todo o seu esforço, toda a sua paixão, todo o seu suor. O que o placar ia dizer dependia também do adversário, mas dar tudo pela vitória dependia só de nós. Em seguida, antes de irmos para o setor de aquecimento, cumpriu-se o ritual: cada um de nós tocou a camisa de Henrique, sempre ali, dependurada, aberta. Para dar sorte.

Iniciada a partida, dois mergulhos de Giba bastaram para me convencer de que estávamos altamente determinados. Vencemos com autoridade o primeiro set (25-15), mas cometemos alguns erros bobos no segundo e os italianos viraram o marcador, que era francamente nosso (26-24 para eles). No terceiro, recuperamo-nos das falhas e voltamos a ganhar bem (25-20). Finalmente, o set que nos punha a menos de meia hora do ouro olímpico.

O lance que decidiu o título merece ser detalhado. Vencíamos por 24-22. Dante foi para o saque. Como os italianos tinham chance de virar, mandei Rodrigão para a rede no lugar de Ricardinho. Uma troca tática: saía um jogador de 1,91m e entrava um exímio bloqueador de 2,05m. Em compensação, ficávamos momentaneamente sem levantador. Esta função coube então a um de nossos centrais, Gustavo. Bola nas mãos para sacar, Dante me lançou um olhar, como se a indagar: "Vou de 'viagem', dou um pau ou controlo?" Tínhamos uma rede alta, reforçada pelo bloqueio de Rodrigão. Para que arriscar um saque forte? Dante sacou taticamente. Bola na ponta, ataque italiano, nosso bloqueio toca e Gustavo levanta para Giba, que ataca. Eles defendem, a bola volta de graça. Repete-se o lance, Gustavo a Giba. A bola rebatida pela defesa italiana toca na antena.

Sartoretti, um oposto canhoto da Itália, ainda tenta defender com a direita, sem perceber que a bola na antena decidia o jogo (25-22). Por uns segundos, muitos não compreenderam o que tinha acontecido. Eu mesmo, só depois de rever o lance, tive ideia exata de como fora. Mas bastou a vibração de nossos jogadores na quadra para esclarecer. E aquela mistura de sentimentos, lembranças e emoções justificava-se: depois de três anos e meio de absoluta entrega, éramos os novos campeões olímpicos.

Fim de jogo, começo da festa. Ricardinho me pegou pelo pescoço e me arrastou para o meio da quadra. Choro, vibração, uma loucura. Os jogadores se abraçavam, atiravam-se juntos ao chão, num alegre "peixinho". Quando consegui me recompor, fui até onde Fernanda estava. Chorando, nos abraçamos. Nuzman e Antônio Carlos de Almeida Braga, o Braguinha dos tempos do Atlântica Boavista, e Bernard, o da geração de prata – pessoas que haviam participado da minha história –, ali estavam comemorando conosco.

Depois, o pódio. Os 12 campeões e a camisa de Henrique, nosso talismã afetivo. Gesto emblemático daquele grupo de elevada consciência coletiva, onde cada peça era fundamental para o sucesso da grande engrenagem. Henrique, embora ausente, estava presente nos corações e mentes de seus companheiros. Por fim, a tradicional jogada para o alto do treinador, 24 braços campeões dividindo com toda a comissão técnica o seu contentamento. No meio daquela festa, já não me era possível pensar fria e tranquilamente sobre o que estávamos vivendo. Os pensamentos que haviam me acompanhado pela manhã, durante o passeio sob o sol da Vila Olímpica, deram lugar

EM BUSCA DO OURO

a um quase vazio, como se o "sentir" tivesse substituído por inteiro o "pensar".

É claro que, mais cedo ou mais tarde, eu voltaria a me preocupar com o próximo passo, a próxima meta. Agora era diferente. A próxima meta estava longe. Quando voltei a pensar, eu me perguntei apenas por que, afinal, tínhamos sido campeões olímpicos.

Em primeiro lugar, porque o espírito de equipe fora rigorosamente preservado – o que era evidente não só na euforia da comemoração da vitória mas também num detalhe de ordem interna. O prêmio em dinheiro prometido pela CBV havia sido calculado em 18 cotas, mas na verdade éramos 19: os 12 jogadores, três treinadores, preparador físico, médico, fisioterapeuta e estatística. Quem ficaria de fora? Quem tinha sido menos importante? Quem se dedicara menos?

A solução partiu dos próprios jogadores: somar o total e dividir por 19. Simples, mas impossível de conseguir se não prevalecesse o espírito de equipe – que foi sem dúvida um dos nossos maiores trunfos.

Mas não o único. O brilho da geração de Atenas foi ter sabido conviver com um favoritismo que muitos confundem com a obrigação de vencer. É muito difícil suportar a pressão da imprensa e dos torcedores, mas a seleção masculina do Brasil enfrentou e venceu essa "maldição". Como? Sendo a *primeira* do mundo, mas treinando, trabalhando, preparando-se e sacrificando-se como se, na melhor das hipóteses, fosse apenas a *segunda*.

Naquele mesmo 29 de agosto, antes de sair, uns para o desfile de encerramento, outros para comemorar, passamos em frente ao prédio que nos acolhera por 19 dias – um "prédio dourado". Afinal, em seu primeiro andar tinham se hospedado

TRANSFORMANDO SUOR EM OURO

Robert Scheidt, Torben Grael e Marcelo Ferreira, medalhas de ouro na vela. No terceiro, Ricardo e Emanuel, ouro no voleibol de praia. E no segundo, nós.

As comemorações começaram lá mesmo, na Grécia, onde os Jogos Olímpicos tinham nascido havia séculos, e prosseguiram no Brasil. Desembarcamos no Aeroporto Antônio Carlos Jobim, na manhã do dia 1.º de setembro, e dali seguimos em dois carros do Corpo de Bombeiros pelas ruas do Rio de Janeiro. A princípio, os jogadores não queriam. Mas achei que seria uma justa homenagem do povo brasileiro aos campeões olímpicos.

Fomos saudados por lenços e bandeiras agitados já ao longo da Avenida Brasil. Na Cinelândia, um dos carros quebrou. Quem estava nele transferiu-se para o outro e o desfile continuou em direção à Praia de Copacabana. A turma que ia para São Paulo desceu em frente ao Copacabana Palace.

Na esquina da Avenida Atlântica com a Rua Santa Clara, vi meu pai e a mãe de Nalbert. Pedi para pararem o carro mais uma vez e puxei os dois para junto de nós. Giovane, dono de duas medalhas de ouro, me emprestou uma para o desfile. Depois, já no Leblon, Fernanda, nossa filha, Júlia, e minha mãe me esperavam para continuar a festa.

Sempre soube que a vitória não é tudo. Está longe de valer mais do que o trabalho, o esforço para conquistá-la. Mas naquele dia o carinho, o reconhecimento, o abraço distante mas caloroso de tantos brasileiros nos fizeram valorizar mais ainda o nosso ouro.

NO VÔLEI COMO NA VIDA

CONSCIENTIZAR-SE DE QUE O VERDADEIRO CAMPEÃO
CONTROLA A VAIDADE PARA QUE, COMO UM
AUTÊNTICO *TEAM PLAYER*, ELEVE O NÍVEL DE
ATUAÇÃO DE TODOS À SUA VOLTA.

UM TRABALHO DE PREPARAÇÃO METICULOSO
É O CAMINHO MAIS CURTO PARA A VITÓRIA.

É IMPORTANTE QUE OS "PRIMEIROS DA CLASSE" SE
PREPAREM COM A MESMA INTENSIDADE DAQUELES
QUE OS PERSEGUEM, CASO CONTRÁRIO SERÃO
ALCANÇADOS E PROVAVELMENTE ULTRAPASSADOS.

A nova Escala de Valores

"Experiência de vida, algumas vitórias e desilusões vão mostrando qual é o caminho. E o caminho é este: compartilhar, ser solidário, competir sadiamente uns com os outros para que pudéssemos crescer. Esse grupo trabalhou muito e foi um grupo antes de qualquer coisa."

BERNARDINHO
(APÓS A VITÓRIA CONTRA A ITÁLIA, NA FINAL
DA OLIMPÍADA DE ATENAS, EM 2004)

Todo esse ciclo de vitórias, os mais de cinco anos à frente da seleção masculina de vôlei e um sem-número de palestras proferidas para empresas fizeram-me repensar a importância dos conceitos da Roda da Excelência. Os encontros com empresários eram oportunidades únicas de apresentar e debater os princípios que usávamos nas quadras. Foi quando comecei a modificar a concepção da Roda da Excelência, evoluindo para uma nova configuração, que chamei de Escala de Valores.

Ao formatar essas novas vivências, identifiquei seis etapas que complementam o que procurei demonstrar no fim de meu primeiro ciclo de trabalho na seleção feminina. São elas: escolha de talentos, espírito de equipe, definição e fomento de lideranças dentro do grupo, treinamento extremo, fatores externos e o sucesso e suas armadilhas.

O foco nos resultados traz a necessidade de estar constantemente reinventando a si mesmo, de buscar algum tipo de diferencial que garanta a liderança e a continuidade de bons desempenhos. Seja nas quadras ou nas empresas, estou cada vez mais convencido de que para ser bem-sucedido é preciso contar com colaboradores com capacidade de liderança, preparados, motivados, comprometidos, disciplinados, éticos, sintonizados com o bom planejamento e unidos pelo mesmo propósito.

Para dar suporte a essa discussão, venho me atualizando muito além do lado técnico e estratégico do vôlei. O estudo multidisciplinar, especialmente de gestão de pessoas, tem sido importante na complementação da visão do papel que tenho hoje: o do *coach*, um líder que trabalha o desenvolvimento de talentos, o capital humano que a organização detém e que é a essência do sucesso em qualquer atividade.

No esporte isso é muito claro, pois não há produtos à venda nem serviços a oferecer – só existem atletas, de quem precisamos extrair desempenho técnico, físico e emocional.

O que me proponho a fazer nas palestras é instigar e motivar por meio de conselhos, sugestões e comparações a partir de minha experiência como treinador e como gestor esportivo. Nessas ocasiões, conto muitas das histórias deste livro e tento mostrar como esses exemplos podem ser aplicados em outros universos.

Muitas vezes as empresas decidem comemorar determinados resultados e motivar ainda mais a equipe, o que é muito importante, mas não é minha especialidade. Creio que, na realidade, elas me convidam para que eu seja uma espécie de sinal de alerta. Isso mesmo. Após uma grande conquista, é preciso redobrar a atenção com os detalhes para que o processo de

A NOVA ESCALA DE VALORES

crescimento seja contínuo – esse é um mantra que uso desde as primeiras conquistas ainda na seleção feminina.

Nesses encontros tento determinar a área de interseção entre o mundo esportivo e o corporativo, que é certamente a busca constante de atuações de alto rendimento e resultados expressivos, além da consequente necessidade de criação de diferenciais competitivos. Novas jogadas, novos sistemas que nos proporcionem vantagens sobre nossos concorrentes.

A questão, portanto, é saber quais os fatores que sustentam esses diferenciais. Qual sua verdadeira importância? Surgem então três elementos fundamentais: capital financeiro, inovações tecnológicas e capital humano.

Ao analisarmos a participação de cada um desses elementos na sustentação do diferencial competitivo, podemos concluir em primeira instância que há uma relativa abundância de capital no mundo, pronto a patrocinar e investir em bons projetos e ideias. Acontece que se riqueza fosse sinônimo de bons resultados, o Real Madrid, com os seus craques, teria conquistado todos os campeonatos dos quais participou, o que não aconteceu. Faltou o quê? Na minha opinião faltaram motivação, cumplicidade e dedicação ao processo de preparação.

A tecnologia como poderoso diferencial competitivo também não é suficiente. A velocidade com que as informações circulam e sua capacidade de penetração fazem com que a exclusividade das inovações dure muito pouco, o que diminui bastante sua importância como fator diferencial. O acesso é cada vez mais rápido, por isso é preciso apresentar novidades o tempo todo, sem parar.

Um excelente livro sobre a imensa competitividade dos dias de hoje e a necessidade de buscar diferenciais é *A estratégia do oceano azul,* no qual os autores, W. Chan Kim e Renée Mauborgne, analisam as razões do sucesso de empresas que conseguem navegar no "oceano azul", onde não há concorrência.

Um exemplo de empresa que navega dessa forma é o Cirque du Soleil. Ao se diferenciar, criando um novo conceito de entretenimento, ginástica, dança, ritmo e circo, ele manteve seus concorrentes a distância. Não por acaso temas como capacitação, entrega pessoal e comprometimento estão na ordem do dia. Eles se referem ao verdadeiro diferencial, ou seja, o material humano e sua capacidade de se reinventar.

Escolha de talentos

Esse é o primeiro degrau da Escala de Valores. A verdade é que pessoas comprometidas fazem toda a diferença. E eu afirmo isso por experiência própria. Quando analiso os últimos cinco anos à frente da seleção masculina de vôlei, percebo que temos escolhido as pessoas certas – seja pelo talento, pela capacidade de realização ou pela complementaridade entre si.

O processo de escolha de talentos para a formação de um time passa pela observação. O primeiro aspecto a ser avaliado – e de uma forma geral o mais valorizado – é o que chamo de fator "genialidade". É importante escolher pessoas que tenham capacidade técnica e uma certa dose de virtuosismo, mas isso por si só não basta. É fundamental, como construtores de equipes, não nos deixarmos enganar por uma grande jogada ou uma única superatuação. E, para isso, a pergunta a ser feita é: quanto de resultado efetivo esse grande talento produz?

Isso nos leva ao segundo tópico de uma escolha eficaz: o histórico de resultados, o *track record* dessa pessoa. Um ótimo exemplo é descrito no livro *Moneyball* (O jogo do dinheiro), de

A NOVA ESCALA DE VALORES

Michael Lewis, que conta a história do time de beisebol americano Oakland A's, que com um pequeno orçamento, se comparado ao de outras equipes profissionais, conseguiu resultados impressionantes usando a estatística como ferramenta de avaliação.

Lewis descreve a crença da organização ao mensurar quanto realmente vale um profissional e não o que às vezes ele nos faz pensar que vale por ter feito uma jogada sensacional. Para isso ele substituiu os tradicionais olheiros, que muitas vezes julgam de forma subjetiva os talentos a serem contratados, pelo processo estatístico. Ou seja, optou por informações amplas e exatas sobre atletas jovens e desconhecidos que ainda não tinham o passe tão caro.

No vôlei, o resultado é obtido subtraindo-se dos pontos conseguidos os pontos concedidos. Com isso, o estudo estatístico permite que se faça um verdadeiro raio X do desempenho de um profissional.

Nossa estatística, Roberta Giglio, é responsável pelos dois programas que utilizamos. O primeiro deles, o tático, faz um mapeamento da quantidade, do percentual e do tipo de jogadas do time adversário. O programa analisa as tendências de todos os jogadores: direções, preferências e posicionamentos. É como se avaliássemos como nossos concorrentes se comportam no mercado. A partir desses dados, formulamos nossas estratégias para enfrentá-los.

Essas avaliações são feitas antes de cada partida para serem submetidas a análise e durante os jogos realiza-se um acompanhamento, com confrontação de dados, que irá nos indicar a necessidade de ajustes durante a partida.

O segundo programa, denominado técnico, diz respeito ao nosso rendimento. Ele mostra como cada jogador se comportou em cada fundamento e qual foi o seu aproveitamento final. É possível

TRANSFORMANDO SUOR EM OURO

Competição: JOGOS OLÍMPICOS
Nº do jogo: 8
Jogo: Brasil x Itália FINAL
Data: 29/08/2004

Local: Grécia
Horário: 14:30
Placar: 3 x 1

FUNDAMENTOS	SAQUE						BLOK		PASSE						
Atletas	SP	SD	SE	SF	Tot	%	BP	BC	PA	PC	PD	PP	Tot	%	
3. Giovane															
4. André H.		3	1	13	17	18	1	3							
6. Mauricio															
7. Giba	3	4	4	12	23	30	2	1	12	1	3	2	18	67	
9. Canha	1		3	3	7	14	1	3							
10. Escadinha									19		3	1	23	83	
11. Anderson		2		1	3	67	1								
12. Nalbert				1	1	zero									
13. Gustavo	3	5	1	5	14	57	2	3							
14. Rodrigo															
17. Ricardo		9		10	19	47	1								
18. Dante	2	3	1	7	13	38	3	2	22	2	5	1	30	73	
Equipe	9	26	10	52	97	36	11	12	53	3	11	4	71	75	

TIME	PS	PB	Atq	ER	ES	CA	Tot
Brasil	9	11	39	14	11	14	98
Adversário	4	12	39	10	10	8	83

Resumo dos pontos obtidos pelas equipes:

PS – pontos-saque
Atq – pontos-ataque
ES – erros de saque

PB – pontos-bloqueio
ER – erros do adversário
CA – contra-ataque

A NOVA ESCALA DE VALORES

①

CONTRA						ATAQUE							C + A		DEF		E	APV
CP	C	CN	CB	Tot	%	AC	AD	AF	AB	AE	Tot	%	Tot	%	DP	DN	Pto	
2	1			3	67	7		3			10	70	13	69				9
4	5	2		11	36	11	1	2	4	2	20	55	31	48	5	1	1	5
4	4			8	50	5	1	4	3	1	14	36	22	41				4
															2	1		-1
		1		1	zero	2			2		4	50	5	40				
1				1	100	9					9	100	10	100			1	13
								1			1	zero	1	zero	1	1		1
3	2			5	60	5		1	3	1	10	50	15	53	3	1	1	6
4	12	3		29	48	39	2	11	12	4	68	57	97	55	11	4	3	37

②

ADVERSÁRIO			
EA	A	ES	CA
14	39	11	8

Blq/Set
2,8

SE/SP
1,1

	1	2	3	4	5	6
P	9	4	5	2	9	13
N	8	3	5	1	5	4

TRANSFORMANDO SUOR EM OURO

As planilhas da página anterior são um exemplo da nossa análise estatística. No quadro ① temos a avaliação individual dos fundamentos de saque, bloqueio, ataque, contra-ataque, passe e defesa. Em cada um dos elementos temos formas de analisar cada ação de nossos jogadores.

No fundamento do saque, por exemplo:

SP – saque-ponto ou *ace*

SD – saque que dificulta o passe do adversário

SE – saque errado

SF – saque fácil

% – rendimento, obtido pela divisão da soma dos saques-ponto + saques difíceis pelo total de saques

No quadro ② vemos a relação total de saques errados / saques-ponto. Nesse jogo (final olímpica contra a Itália) tivemos 10 saques errados e 9 *aces*, o que resulta numa relação extremamente positiva.

Voltando ao quadro ①, nas colunas "BLOK" avaliamos o nosso bloqueio, distinguindo entre bloqueios-ponto e bloqueios "C", aqueles que propiciam contra-ataques – são bloqueios defensivos extremamente importantes. Muitas vezes teremos um número pequeno de bloqueios-ponto, mas um número elevado de bloqueios "C", o que evidencia um bom desempenho.

Assim avaliamos os passes, a qualidade de cada ação e a proporção de passes A (perfeitos) sobre o total de ações. Temos ainda as colunas de contra-ataque, onde tivemos um percentual de 48%, talvez o nosso ponto menos eficiente nessa partida.

Além disso, temos o somatório dos percentuais de ataque + contra-ataque. Observamos nesse jogo a grande atuação de Gustavo (# 13), com 100% de aproveitamento (10/10).

A NOVA ESCALA DE VALORES

Uma coluna para a defesa, que depende muito de posicionamento, determinação e vontade. Considero esse elemento o termômetro da equipe, pelo qual podemos avaliar nossa "temperatura".

A coluna E significa erros cometidos sem relação com as ações anteriormente avaliadas: mão na rede, dois toques...

A última coluna, APV, mede o aproveitamento individual de cada jogador: pontos efetuados – pontos concedidos. Podemos notar que todos os jogadores tiveram aproveitamento positivo, com exceção do Escadinha (# 10), que, por ser o líbero da equipe, não executa ações que pontuam (saque, ataque, bloqueio). Portanto, o seu aproveitamento máximo é zero (não concedendo ponto algum). Veremos também Ricardo (#17), que, por ser levantador, tem menos oportunidades para pontuar.

elaborar quadros evolutivos sobre o saque de determinado atleta, a eficiência de seu passe ou o número de bloqueios realizados.

Todas essas ações são convertidas em números e os desempenhos são descritos em tabelas com percentuais de acertos e erros. Os jogadores são informados dos resultados, que passam a orientar os treinamentos. A referência é a média histórica, e o objetivo, claro, é elevá-la.

A estatística acabou com avaliações do tipo: "Eu acho que você..." O treinador agora tem acesso a dados que lhe permitem dizer: "Você fez isso ou aquilo e precisa..." Embora os números não mintam, eles não dão todas as respostas. A observação do treinador continua sendo muito importante, pois completa a percepção objetiva do desempenho da pessoa em foco e lhe dá sentido. Só ele pode responder às seguintes perguntas: Em que circunstância o jogador errou determinada bola? Em que momento? Por quê? Continua sendo fundamental a intuição do *coach* associada ao estudo estatístico.

O terceiro aspecto é a avaliação do nível de determinação do atleta. Até que ponto ele estará disposto a se entregar ao processo de preparação para melhorar seu desempenho, evoluir nos fundamentos e com isso contribuir ainda mais para o crescimento da equipe. Sucesso é o resultado da soma de talento e determinação. Portanto de nada nos servirá termos um virtuoso sem vontade. Quase sempre ele se revelará uma frustração, pela incapacidade de realizar todo o seu potencial.

TALENTO MÉDIO + DETERMINAÇÃO ALTA = BOM PROFISSIONAL
TALENTO ALTO + DETERMINAÇÃO ALTA = SUPERPROFISSIONAL
TALENTO ALTO + DETERMINAÇÃO BAIXA = FRUSTRAÇÃO

Há ainda um quarto elemento, fundamental na capacidade de superação, de transcender nos resultados, que maximiza a equação que soma talento e determinação: a paixão. Todos queremos ter pessoas apaixonadas em nossas equipes, que produzam com intensidade máxima aquilo que se propõem a fazer.

Por isso devemos sempre olhar nos olhos desses talentos para tentar encontrar aquele famoso "brilho no olhar".

Espírito de equipe

Esse é o segundo degrau da nossa Escala de Valores. É fundamental avaliar se os colaboradores escolhidos têm como foco principal o trabalho em equipe.

Pude constatar a importância dessa atitude ao assistir a uma

A NOVA ESCALA DE VALORES

palestra de Warren Buffet, um conhecido investidor americano, realizada em 1995. Para explicar como escolhia suas equipes de trabalho, ele conta que foi chamado para resolver uma crise em uma empresa da qual era acionista, tendo para isso que contratar um novo gestor. A primeira característica que ele tentou identificar no novo profissional foi se ele era um *team player*, avaliando entre outras coisas o número de vezes em que usava a expressão "eu fiz" em vez de "nós fizemos". Descobrir qual era sua verdadeira disposição de fazer parte de um time era o primeiro critério de escolha de Buffet.

Outro critério importante era saber como o candidato enfrentava obstáculos e lidava com a adversidade e se tinha a franqueza e a humildade de admitir eventuais erros e derrotas. Buffet acreditava que ao admitir fracassos anteriores o candidato demonstrava ter controle sobre o seu ego e a sua vaidade, bem como a capacidade de reverter e superar crises.

O ego e a vaidade, quando inflados e fora de controle, são grandes obstáculos à formação de uma verdadeira equipe. Isso me lembra o filme *Sete anos no Tibet*, em que o personagem de Brad Pitt mostra a uma jovem tibetana o álbum de fotos em que estão registrados seus feitos como alpinista. Envaidecido por ter atingido objetivos tão difíceis, ele pergunta de que se orgulha o povo do lugar e quais são suas metas. A jovem responde: "Nosso objetivo é não ter vaidade."

É claro que esse exemplo não se aplica exatamente ao mundo esportivo ou corporativo, pois ambos vivem em função de resultados menos abstratos. Mas a mensagem fundamental é que a vaidade não deve atrapalhar. O ideal é não elevar o ego às alturas nem deixar que algo o jogue para baixo, minando sua autoestima. É uma questão de equilíbrio.

Como lido diariamente com os astros do voleibol, já me perguntaram várias vezes qual é a minha fórmula para evitar que egos inflados prejudiquem o trabalho em equipe. Não há receita pronta para isso. O que faço é tentar administrar as pretensões e aparar os excessos, trabalhar e testar diariamente "seus" comprometimentos com os "nossos" objetivos.

Não há como evitar que atletas excepcionais e colaboradores bem-sucedidos se orgulhem dos próprios méritos e volta e meia protagonizem pequenas demonstrações de exibicionismo. O pulo do gato, porém, está em fazer com que esse sentimento seja menor que o comprometimento com o projeto no qual essas pessoas estão envolvidas.

Longe de assumir o papel de mito, de deus do basquete, o superatleta Michael Jordan sempre manteve sua vaidade sob controle. Num dos documentários que vi sobre sua carreira há uma cena em que seu técnico afirma que dirigir um time com um jogador de tal grandeza era muito fácil. Segundo ele, Jordan testava seus limites e se empenhava nos treinos como se fosse um novato. Ele era motivado e comprometido com a excelência e liderava pelo exemplo.

Gostaria de fazer aqui uma homenagem ao falecido jogador de futebol americano Pat Tillman, que disse: "O orgulho não me faz nada bem. É mais produtivo me forçar a manter certa ingenuidade sobre o assunto, porque de outra forma eu começaria a me sentir muito feliz comigo mesmo e então me acomodaria, tornando-me rapidamente 'notícia velha'."

"TODOS OS DIAS, AO LEVANTAR, PISO NA MINHA VAIDADE PARA QUE ELA NÃO ME DESVIE DO MEU CAMINHO."

A NOVA ESCALA DE VALORES

O esporte é repleto de exemplos que mostram que uma grande soma de talentos não leva necessariamente a vitórias. Foi isso o que aconteceu nos Jogos Olímpicos de Atenas com a favoritíssima equipe americana dos 4x100 metros, integrada por Shawn Crawford, Justin Gatlin, Coby Miller e Maurice Greene (quatro velocistas que faziam 100 metros em menos de 10 segundos). Por falta de espírito de equipe, eles perderam a final para um quarteto britânico menos veloz. Os quatro americanos correram preocupados cada qual com os seus 100 metros, sem foco no objetivo comum. Isso os fez perder tempo nas passagens de bastão e, com isso, perderam o ouro.

A escolha das pessoas certas e o trabalho em equipe são passos fundamentais para desempenhos de alto nível. A consciência de que a interdependência e a complementaridade das funções entre as peças tornam o trabalho coletivo eficaz é o que gera o verdadeiro brilho da equipe.

Liderança

O terceiro passo do processo de seleção de competências é a escolha de lideranças dentro do grupo – de preferência, pessoas capazes, motivadas, com espírito de equipe e determinadas a realizar sua atividade com a máxima qualidade.

Não acredito que se possa definir a melhor forma de se liderar – existe apenas a forma de cada um. A transparência deve ser um atributo dos líderes, assim como sua integridade. Certamente a minha não é a melhor forma, muitas vezes emocional em excesso, agitado, mas é a minha. Não deve haver qualquer tipo de artificialidade nas ações. Errar na forma é aceitável, pois só não erra quem não tenta fazer ou quem não faz. O importante é que a equipe não duvide da intenção do líder.

Se surgir alguma dúvida a esse respeito, é sinal de que está em xeque o elo mais forte de qualquer relacionamento – a confiança. Esse é o pilar mais importante de sustentação de qualquer relacionamento. Portanto, sem confiança não há comprometimento verdadeiro.

A harmonia que deve reinar no ambiente de trabalho não é a de uma equipe que segue o líder sem estar convencida de que é realmente o melhor a fazer. Esta seria uma falsa harmonia. As discordâncias e os conflitos são necessários para o desenvolvimento do senso de propriedade, que é o resultado da participação de todos no processo.

A única liderança que se sustenta com o tempo é a liderança pelo exemplo. Portanto faça, inspire pela ação.

O LÍDER DEVE SER UM FACILITADOR DE BONS DESEMPENHOS, MAS NÃO DEVE BUSCAR A POPULARIDADE.

Manter-se fiel às suas convicções e sempre focado no resultado da equipe permite que você, caso alcance uma posição de liderança, continue próximo de seus colaboradores – em fina sintonia com o que eles sentem e pensam, para assim poder motivá-los.

Agora, um tema delicado: a responsabilidade. As pessoas têm a tendência de não admitir seus erros e suas ações. É o presidente que se omite, o governo que não acaba com a violência, o vizinho que joga lixo na rua e por aí vai – a justificativa usual é dizer que o problema está sempre no outro.

Quem está no comando deve reconhecer suas limitações, suas responsabilidades e avaliar o próprio desempenho, de preferência sendo mais rigoroso consigo mesmo do que com os outros. A autocrítica é fundamental ("Até que ponto eu fui

A NOVA ESCALA DE VALORES

capaz de liderar meus companheiros?"), assim como o aprendizado com as derrotas, sem sucumbir ao primeiro tropeço. A possibilidade de tentar novamente é o que nos mantém vivos.

Um de meus pontos fracos como líder e gestor é o momento das conversas extremamente pessoais. Sinto-me mais confortável quando estou perto da quadra, que é nosso ambiente de trabalho. Procuro imaginar que o treinamento seja a nossa psicologia, e a quadra, o nosso divã. Tento entender os jogadores ali e trabalhar os eventuais problemas da melhor forma possível.

Sei exatamente o que sinto por meus jogadores, como valores individuais e como equipe: respeito-os, admiro-os, confio neles e sinto afeição por todos. Mas não tenho como saber exatamente o que eles sentem por mim. Chefe exigente? Treinador compulsivo ou simplesmente um companheiro de trabalho em busca de um objetivo comum, dedicado sempre a dar o seu máximo?

Prefiro achar que eles me aceitam do jeito que sou. Os que estão comigo há mais tempo sabem que sou um deles, que vamos brigar juntos, suar juntos, ganhar e perder juntos. E me respeitam por isso. Do contrário, por que os campeões olímpicos continuariam comigo?

As pessoas fantasiam sobre minha relação com meu filho Bruno, que joga voleibol pelo Cimed de Florianópolis, cujo treinador é meu grande amigo Renan. Imaginam, com razão, que vou cobrar mais dele do que dos outros jogadores. Ouço coisas do tipo: "Puxa, Bernardinho, imagino o carrasco que você deve ser para seu filho, obrigando-o a estudar, treinar, tudo isso ao mesmo tempo, sem direito a descanso, férias, lazer..." Nada mais falso.

É verdade que eu cobro dele algumas coisas básicas, e acho que ele mesmo se exige, mas não acredito em esticar a corda até que ela arrebente. Como nos falamos diariamente, sempre pergunto como foi seu dia. Se por acaso ele me responde "Hoje não deu pra treinar, pai", eu digo: "Tudo bem, mas lembre-se de que cada dia que você deixa de treinar, ou de se dedicar ao treinamento, significa um dia mais distante da realização do seu sonho." Sonho dele, não meu. Não espero que suas ambições no vôlei tenham qualquer relação com as minhas, de hoje ou de ontem.

Há ainda a questão do inconformismo, uma característica inerente a todos os grandes líderes. E aqui cito o empresário Luiz Fazzio, atual presidente da rede de magazines C&A, que me alertou pela primeira vez para o assunto. Ele me levou a refletir sobre como sempre fui inconformado nessa busca de algo melhor, nessa vigilância do próximo objetivo, o próximo adversário... e como isso era comum a líderes e ambientes de excelência.

Meu estado mental é sempre este: preocupado. Eu nunca relaxo. Mesmo quando alcanço uma meta, estou sempre pensando no próximo desafio. Quando observo e analiso pessoas, busco o inconformismo que há nelas.

O BOM PROFISSIONAL É AQUELE QUE NUNCA ACHA QUE O QUE CONQUISTOU É O BASTANTE, QUE SEMPRE QUER ALGO MAIS E QUE ESTÁ DISPOSTO A SACRIFÍCIOS INDIVIDUAIS EM NOME DE UM OBJETIVO COLETIVO. E O BOM LÍDER É AQUELE QUE CONSEGUE INCUTIR ESSE QUESTIONAMENTO EM SEUS COLABORADORES.

Conta-se uma história que ilustra muito bem os benefícios desse estado de tensão permanente. Quando era professor de política internacional na Universidade de Harvard, o ex-secre-

A NOVA ESCALA DE VALORES

tário de Estado norte-americano Henry Kissinger recebeu a tese de um de seus alunos para avaliar. Quatro dias depois, ele devolveu o trabalho ao rapaz, dizendo:

– Está muito bom, mas você pode melhorá-lo. Leia mais, pesquise mais, procure novas informações.

O aluno voltou para casa e debruçou-se sobre a tese. Leu, pesquisou, encontrou novas informações e, ao fim de três semanas, entregou o trabalho ao professor. Mais quatro dias de espera até que Kissinger lhe desse o novo veredicto:

– Melhorou bastante, mas estou certo de que você pode aprofundá-lo ainda mais.

Um mês foi o tempo que o aluno dedicou, já então em total desespero, à tarefa de entregar um trabalho irrepreensível. Colou os olhos no computador, buscou novas fontes, ouviu pessoas, gastou, enfim, todas as suas energias. Esgotado, cabisbaixo, dirigiu-se ao professor com a maior franqueza:

– Professor, perdoe-me, mas não posso fazer melhor.

Kissinger, com a tese nas mãos, perguntou-lhe:

– Este é mesmo o melhor que você pode fazer?

Diante da resposta afirmativa, Kissinger arrematou:

– Então, *agora* eu vou ler a sua tese.

Na realidade, o professor havia testado seu aluno, desafiando-o a superar o que ele acreditava ser o seu limite.

Preparação

Provocar, desafiar, instigar, buscar nada menos que o máximo – essa é a obrigação de todo gestor. Só isso faz crescer. A complacência ou a autocomplacência apequena. É verdade que tentar fazer o melhor implica correr riscos. Já repararam como no esporte de alto nível as contusões são frequentes? A

TRANSFORMANDO SUOR EM OURO

razão é que o atleta vive levando a máquina humana ao extremo de sua capacidade. Ele sabe que só vencerá o jogo, só quebrará o recorde, se realmente forçar sempre um pouco mais.

Para que o fusquinha 1966 dure a vida toda, basta trocar uma peça aqui, o óleo ali e não exigir dele mais do que possa dar. Já num carro de Fórmula 1 investe-se uma fábula e a cada fim de semana um ou mais quebram. Por quê? Porque andam no limite ou além de sua capacidade, correndo riscos em busca da excelência.

Essa busca, no entanto, precisa ser feita de modo consciente. O estudo e o planejamento minuciosos são fundamentais para que possamos levar os atletas a elevados níveis de performance, a superar barreiras preestabelecidas e seus limites anteriores.

SUPERAÇÃO É TER A HUMILDADE DE APRENDER COM O PASSADO, SER INCONFORMADO COM O PRESENTE E DESAFIAR O FUTURO.

Essa frase do executivo Hugo Bethlen, do Grupo Pão de Açúcar, resume perfeitamente esse conceito. E ela nos remete ao quarto passo da Escala de Valores: a preparação extrema que sustenta a vontade de fazer mais e melhor.

Grandes campeões têm essa disposição permanente para se preparar. Eles se sentem confortáveis no desconforto constante da preparação. No livro *Coach: Lessons on the Game of Life* (Treinador: Lições no jogo da vida), de Michael Lewis, há um depoimento de um atleta que explica essa questão com uma clareza desconcertante. Segundo ele, para se tornar um atleta de alto rendimento, é preciso sentir-se confortável na dor do

A NOVA ESCALA DE VALORES

treinamento, no cansaço e na tensão que recaem sobre qualquer um antes de uma grande competição.

Preparação extrema é o que nos faz suportar as pressões e tensões das grandes competições. Estar continuamente se preparando, manter-se atualizado e observar o que há de novo são o preço a pagar pela excelência. Ela se constrói muito a partir do inconformismo, da eterna insatisfação, da sensação eterna de achar que o trabalho pode levá-lo mais adiante. Acredito piamente que é preciso criar situações de desconforto para tirar o melhor das pessoas.

O pianista Arthur Rubinstein é um grande exemplo. Quando completou 90 anos, perguntaram-lhe sobre sua rotina de trabalho. Ele respondeu que praticava seis horas por dia. E completou: "Se eu ficar um dia parado, eu percebo; se ficar dois dias, meu público percebe."

Outra tese interessante sobre o tema preparação é a do ex-prefeito de Nova York, Rudolph Giuliani. Ele defende a ideia de que a preparação extrema permite maior capacidade de adaptação em situações inesperadas. Giuliani cita o ataque terrorista ao World Trade Center como exemplo. Embora nenhum treinamento específico tenha sido feito para situações da magnitude do 11 de Setembro, ele explica que a cidade tinha se preparado de tal forma para diferentes emergências que teve agilidade para enfrentar um episódio tão radical.

"QUANDO A PREPARAÇÃO É INTENSA E SISTEMÁTICA, QUALQUER COISA DIFERENTE SERÁ APENAS UMA PEQUENA VARIAÇÃO DAQUILO PARA O QUE VOCÊ SE PREPAROU."
RUDOLPH GIULIANI

TRANSFORMANDO SUOR EM OURO

E o fator sorte? Gosto quando o superatleta Tiger Woods diz: "Quanto mais eu treino, mais sorte tenho." O êxito em qualquer situação depende muito do modo como nos preparamos para cumprir nossas tarefas. A (boa) sorte vem a reboque.

O ideal é confiar no esmero de sua preparação. Dedicar-se entendendo que cada detalhe é importante, jogar considerando cada ponto como se fosse o último – esse é o senso de urgência que considero crucial para as pessoas que buscam a excelência. Entender cada dia como se fosse a última oportunidade para atingir seu objetivo.

Não esqueço do treinamento extra que fazíamos com Ricardinho durante os últimos Jogos Olímpicos. Além dos exercícios de rotina com o grupo, decidi que era preciso fazer uma série extra de bloqueio por ser esse um de seus pontos fracos. E ele acabou fazendo três bloqueios fundamentais nos jogos contra a Polônia, a Rússia e a Itália. Ou seja: um detalhe, surgido da preocupação com a preparação extrema, pode ter sido decisivo na conquista do ouro.

"MÃO SANTA QUE NADA, MÃO TREINADA."
OSCAR SCHMIDT

Ambiente externo

O quinto passo da Escala de Valores é a busca do equilíbrio entre exigências elevadas e condições apropriadas. Há uma frase do general Colin Powell a respeito da relação com seus comandados que explica muito bem esse conceito: "Brigo muito com eles, mas brigo muito mais por eles."

É importante prover as condições básicas para o nosso trabalho. No nosso caso, isso se traduz no maior contato possível

A NOVA ESCALA DE VALORES

com a família, facilidades de comunicação, qualidade na hospedagem, na alimentação e conforto nos deslocamentos.

Uma demonstração de nosso comprometimento e nossa cumplicidade com os jogadores foi o pedido que nós, da comissão técnica, fizemos à Confederação Brasileira de Vôlei após o ouro de Atenas. Pedimos que as viagens intercontinentais, longas e cansativas, passassem a ser feitas na classe executiva. Isso nunca me pareceu um luxo e sim uma necessidade, pois os jogadores serão testados nos treinamentos. Fomos prontamente atendidos.

Mas só os jogadores viajam de executiva, já que são eles que entram na quadra para treinar quando chegamos ao nosso destino, não a comissão técnica. Essa é a nossa forma de mostrar como estamos empenhados no seu bem-estar e no seu conforto.

Nem sempre conseguimos prover as condições desejadas e, como em muitos exemplos citados neste livro, usamos as condições precárias ou desfavoráveis a nosso favor, como desafio e fonte de motivação.

O sucesso e suas armadilhas

Se você foi suficientemente obstinado para chegar até esta página, e prestou atenção nos detalhes, deve ter lido algo como "o sucesso do passado não nos garante nada no futuro". E, portanto, alcançou o sexto degrau de nossa Escala de Valores, que trata do sucesso e suas armadilhas.

As vitórias nos garantem apenas grandes expectativas e mais responsabilidade. Em função de nosso sucesso anterior, criamos nas pessoas a ilusão de que nos tornamos imbatíveis e de que vitórias continuarão ocorrendo automaticamente. E nossa responsabilidade aumenta de forma proporcional à expectativa gerada: é o peso do favoritismo.

Como lidar com esse peso? Sendo efetivamente uma equipe, compartilhando essa carga e prestando cada vez mais atenção aos detalhes da preparação. A única forma de nos mantermos vitoriosos é nos dedicando com pelo menos a mesma intensidade daqueles que nos perseguem. A estratégia é combater uma eventual acomodação, muito comum após um período de sucesso.

Um exemplo inspirador de como um grande campeão entendeu que vitórias anteriores não lhe geravam qualquer vantagem futura é o do remador inglês Steve Redgrave, que conquistou a quinta medalha de ouro olímpica e o oitavo título mundial aos 38 anos e com o entusiasmo de um iniciante. Como é possível? Treinando obsessivamente, como conta ele na sua autobiografia *A Golden Age* (Os anos dourados).

Ele estava sempre recomeçando do zero a cada competição que disputava e sabia que as medalhas já conquistadas não lhe concediam nem um metro a mais sobre seus adversários. Para ele, só a preparação intensa, a extrema dedicação levavam ao sucesso. Tanto que chegou a deixar a mulher em plena lua de mel para cumprir o programa de treinos que havia se imposto.

A busca permanente da excelência prevalece como nossa grande missão. O questionamento constante – sob a ótica dos elementos da Roda da Excelência ou da Escala de Valores – gerará crescimento. É importante entendermos novas vivências como lições para um aprendizado contínuo e permanente.

Inspirado na velha Grécia, que nos viu transformar suor em ouro, tudo o que sei é que nada sei – talvez seja a conclusão a que cheguei após vários anos comandando equipes e tentando extrair o melhor de cada uma delas.

A NOVA ESCALA DE VALORES

NO VÔLEI COMO NA VIDA

OPTAR PELAS PESSOAS CERTAS E NÃO PELAS MAIS TALENTOSAS.

FOCAR NO TRABALHO DE EQUIPE.

FOMENTAR AS LIDERANÇAS NO GRUPO.

TREINAMENTO EXTREMO.
(Nada substitui o treinamento.)

BUSCAR O EQUILÍBRIO ENTRE COBRANÇAS E
CONDIÇÕES EXTERNAS.

ATENÇÃO AO SUCESSO E SUAS ARMADILHAS.

BUSCAR CONSTANTEMENTE A EXCELÊNCIA.

Epílogo

"Se você deseja um ano de prosperidade, cultive grãos.
Se você deseja 10 anos de prosperidade, cultive árvores.
Mas se você quer 100 anos de prosperidade, cultive gente."

DITADO CHINÊS

Ultrapassada a última barreira, fecha-se um ciclo e encerra-se um belo capítulo da história do nosso voleibol. São histórias de vitórias, resultados, páginas recheadas de relatos de conquistas. Todos somos cumprimentados com apertos de mãos e abraços, e em cada um desses momentos, dessas demonstrações de carinho, confirma-se a minha certeza de que o legado desses rapazes é o do exemplo, por valores e posturas, da capacidade de superação, da compreensão da importância e da força de um verdadeiro time, da determinação durante o processo de preparação, em suma, da verdadeira atitude – algo que pode parecer pequeno, mas que faz toda a diferença.

Por que continuar? – muitos nos perguntavam, alegando que será impossível criar um ciclo melhor, escrever um capítulo mais brilhante. Não seria mais "confortável" e "conveniente" apenas viver dos "louros" das vitórias passadas? Expectativas elevadas e responsabilidades proporcionais às expectativas nos levaram à decisão de construir um novo pacto. Continuaríamos juntos em

TRANSFORMANDO SUOR EM OURO

nossa busca por vencer os desafios, saltar novas barreiras, sempre movidos pela paixão e conscientes de que teríamos que redobrar nossa atenção para que pudéssemos continuar eficientes.

Seguiram-se novas conquistas (quem sabe isso não será tema para um livro futuro?) nesses últimos dois anos, acompanhadas do permanente questionamento a respeito de como e o que fazer para superar sempre a nova "próxima barreira" e de como deveríamos nos comportar como grupo após cada grande evento. Creio que, essencialmente, não mudamos, apesar das dificuldades crescentes e dos conflitos inerentes a um grupo que se cobra muito e vive em permanente estado de alerta e de tensão.

A cada vitória temos a oportunidade de viver o momento mais emocionante da vida dos esportistas: o hasteamento da bandeira nacional sob os acordes do nosso hino. É quando nos sentimos os "autênticos" representantes de uma nação, um momento de grande reflexão. Seria possível construir um verdadeiro time chamado Brasil, onde a consciência coletiva predominasse, onde pudéssemos entender e explorar o real potencial de nossos talentos complementares? Onde não se buscasse apenas ser o melhor jogador, com os devidos prêmios individuais, mas também entender que sua conquista seria fruto da vitória da equipe?

O esporte, embora longe de ser um mundo perfeito, tem nos dado grandes exemplos e apresentado inúmeras lições. Ele começa a ser encarado – ainda que em proporções reduzidas diante de seu enorme potencial – como uma fração importante do processo de educação e como uma ferramenta das mais eficazes no processo de inclusão social de tantos jovens privados de oportunidades.

Há vários exemplos de atletas e ex-atletas que hoje atuam junto a comunidades carentes, propiciando a muitos jovens a

EPÍLOGO

prática das mais variadas modalidades esportivas. O objetivo é associar os valores e os princípios esportivos ao processo de educação. Talvez por seu cunho absolutamente democrático, o esporte suscita em muitos de seus praticantes a necessidade de compartilhar suas experiências com outros.

Foi com essa perspectiva, de compartilhar o que havia vivenciado como jogador e técnico, que tive a oportunidade de criar, em 1997, em parceria com a Unilever (então Gessy Lever), um projeto na área de esportes, mais especificamente do vôlei. O projeto foi elaborado em conjunto: a equipe Bernardinho, com Zé Inácio, Tabach, Hélio e Nando (depois com o reforço de Dora), e a equipe Rexona (depois reforçada por Ades), com Vinicius Prianti, Fábio Prado, Júlio Campos e as Andréas Salgueiro e Rolim, com a visão de que não construiríamos um projeto pautado apenas por uma grande equipe, mas também por uma forte vertente no campo social. Criamos o Centro Rexona-Ades de Voleibol, com o auxílio de uma grande profissional da área de marketing, Nicoleta di Denaro.

Já atendemos 20 mil crianças e capacitamos mais de 150 professores, propiciando a iniciação no vôlei, visando educar por meio da prática esportiva. Na esteira desse projeto surgiu o Instituto Compartilhar, que hoje coordena o Projeto Rexona-Ades, entre outros projetos socioesportivos pelo país afora (do interior do Rio Grande do Sul a Natal).

Atuar junto aos jovens, gerando oportunidades, integrando-os a projetos estruturados, trabalhando sua autoestima, seu autoconhecimento e possibilitando sonhos – esses são os objetivos desses projetos que têm tido sucesso em boa escala e ajudado a criar cidadãos mais preparados e conscientes.

Como diria nosso ídolo Michael Jordan, "não podemos acei-

TRANSFORMANDO SUOR EM OURO

tar o ñão tentar". E confesso que me emocionei ao ouvir as palavras do grande brasileiro e empresário Jorge Gerdau, em um encontro do Movimento Quero Mais Brasil, em São Paulo, onde ele declarou que tinha a consciência de ser um empresário responsável e de cuidar de sua "paróquia", mas sofria a grande dor e a frustração de saber que deixará para seus filhos um país pior do que o que recebeu de seus pais...

Não tenho como discordar do Sr. Gerdau, mas talvez por ser um pouco mais jovem, um teimoso determinado, e inspirado por brasileiros como ele, digo que o jogo está muito difícil, talvez até estejamos perdendo por 2 a 0, mas não podemos deixar de acreditar que dá para virar – e certamente não podemos não tentar.

Meu conselho nesse "pedido de tempo": só chegaremos à vitória se nos entregarmos como um verdadeiro time ao treinamento, à preparação, ou seja, à educação.

Bibliografia

AMBROSE, Stephen E. *Band of Brothers*. Rio de Janeiro: Bertrand Brasil, 2006.

ARMSTRONG, Lance. *De volta à vida*. São Paulo: Ed. Z, 2004.

CALIPARI, John. *Refuse to Loose* (Recuse perder). Ballantine Books, 1996.

COMTE, Auguste. *Cartas filosóficas sobre a comemoração social, o batismo cristão, o casamento*. Porto Alegre: Propaganda Positivista, 1912.

_____. *Curso de filosofia positiva*. São Paulo: Nova Cultural, 2000.

_____. *Reorganizar a sociedade*. São Paulo: Escala, 2005.

_____. *Discurso sobre o espírito positivo*. São Paulo: Escala, 2005.

_____. *Princípios de filosofia positiva*. São Paulo: Editorial Paulista, s/d.

ÉDEN, Dov. *Pygmalion in Management: Productivity as a Self Fulfilling Prophecy* (Gerenciamento estilo Pigmalião: produtividade como uma profecia de autorrealização). MA: Lexington Books, 1990.

FEINSTEIN, John. *Season on the Brink* (Temporada decisiva). Fireside Books, 1989.

GALLWEY, W. Timothy. *O jogo interior de tênis*. São Paulo: Textonovo, 2003.

GILBERT, Brad; JAMISON, Steve. *Winning Ugly* (Ganhando feio). Fireside, 1994.

HAMILTON, Nigel. *Master of Battlefield* (Mestre do campo de batalha). Nova Jersey: McGraw-Hill, 1984.

HARARI, Oren. *Leadership Secrets of Colin Powell* (Segredos de liderança de Colin Powell). McGrall-Hill Professi, 2004.

HUNTER, James C. *O monge e o executivo*. Rio de Janeiro: Sextante, 2004.

JACKSON, Phil. *The Last Season: A Team in Search of Its Soul* (A última temporada: um time em busca de sua alma). Amazon Remainders Account, 2005.

JOHNSON, Earving "Magic". *My Life (Minha vida)*. Random House, 1993.

JORDAN, Michael; VANCIL, Mark; MILLER, Sandro. *Nunca deixe de tentar*. Sextante, 2009.

KRZYZEWSKI, Mike; PHILLIPS, Donald T. *Leading with the Heart* (Liderando com o coração). Warner Books Inc., 2001.

LANSING, Alfred. *A incrível viagem de Shackleton*. Rio de Janeiro: Sextante, 2004.

LENCIONI, Patrick. *Os 5 desafios das equipes*. Rio de Janeiro: Campus, 2002.

BIBLIOGRAFIA

LEWIS, Michael. *Moneyball: The Art of Winning an Unfair Game* (Bola de dinheiro: a arte de vencer um jogo desigual). W. W. Norton & Company, 2003.

_____. *Coach: Lessons on the Game of Life* (Treinador: lições no jogo da vida). W. W. Norton & Company, 2005.

LOMBARDI, Vince. *The Lombardi Rules* (As regras de Lombardi). Nova Jersey: McGraw-Hill, 2002.

_____. *What It Takes to Be #1* (O que é preciso fazer para ser o n.º 1). McGraw-Hill Companies, 2000.

MARANISS, David. *When Pride Still Mattered* (Quando o orgulho ainda contava). Simon & Schuster, 1999.

MAUBORGNE, Renée; KIM, W. Chan. *A estratégia do oceano azul*. Rio de Janeiro: Campus, 2005.

PARCELLS, Bill; COPLON, Jeff. *Finding a Way to Win* (Encontrando um caminho para vencer). Dubbleday, 1995.

PITINO, Rick. *Success Is a Choice* (Sucesso é uma escolha). Bantan Books, 1997.

RAND, Jonathan. *Fields of Honor: The Pat Tillman Story* (Campos da honra: a história de Pat Tillman). EUA: Chamberlain Bros., 2004.

REDGRAVE, Steve. *A Golden Age* (Uma idade dourada). BBC Worldwide, 2000.

REZENDE, Condorcet. *Andanças e caminhadas*. Rio de Janeiro: DTP Graphics, 1995.

RILEY, Pat. *The Winner Within* (O vencedor interior). Berkley Trade, 1994.

ROVIRA, Álex; BES, Fernando Trías de. *A boa sorte*. Rio de Janeiro: Sextante, 2004.

RUSSELL, Bill; FALKNER, David. *Russell Rules* (As regras de Russell). Penguin Putnam, 2001.

WOODEN, John R. *Wooden on Leadership* (Wooden sobre liderança). Nova Jersey: McGraw-Hill, 2005.

WOODEN, John R; CARTY, Jay. *Coach Wooden's Pyramid of Success* (A Pirâmide do Sucesso do treinador Wooden). Regal Books, 2005.

Filmes

Coach Carter – Treino para a vida. Direção: Thomas Carter. EUA, 2005.

Desafio no gelo. Direção: Gavin O'Connor. EUA, 2004.

Duelo de titãs. Direção: Boaz Yakin. EUA, 2000.

O advogado do Diabo. Direção: Taylor Hackford. EUA, 1997.

Sete anos no Tibet. Direção: Jean-Jacques Annaud. EUA, 1997.

Índice de fotos

CAPA – Comemoração de Bernardinho e dos jogadores após a disputa pela medalha de ouro nas Olimpíadas de Atenas, em 2004, no estádio Paz e Amizade no complexo de Faliro. Fotógrafo: Ivo Gonzalez/Agência O Globo.

12 – Bernardinho nas Olimpíadas de Atenas, em 2004, durante a semifinal Brasil x Estados Unidos, no complexo de Faliro. Fotógrafo: Ivo Gonzalez/Agência O Globo.

26 – (No alto) Bernardinho com seu pai, Condorcet Rezende. Acervo familiar.
(Embaixo) Bernardinho com Benedito da Silva, o Bené, seu treinador no time infantojuvenil do Fluminense nos anos 1980. Fotógrafo: Marco Terranova/Agência JB.

40 – (No alto) A geração de prata no Mundialito de Vôlei, no Rio de Janeiro, em 1982. Fotógrafo: Aníbal Philot/Agência O Globo.
(Embaixo) Seleção de prata. Campeonato Mundial, 1982. Fotógrafo: Jorge Marinho/Agência O Globo.

TRANSFORMANDO SUOR EM OURO

56 – Bernardinho em seu gestual característico durante jogos de suas equipes. Fotógrafo: Ivo Gonzalez/Agência O Globo.

76 – Bernardinho durante treino com a seleção feminina. Fotógrafo: Marcelo Carnaval. Acervo do COB.

94 – (No alto) A equipe feminina de vôlei comemorando a medalha de bronze nas Olimpíadas de Atlanta, em 1996. Fotógrafo: Alaôr Filho/Agência JB.
(Embaixo) O Brasil ganha a medalha de ouro nos Jogos Pan-Americanos de Winnipeg, em 1999. Fotógrafo: Sérgio Borges/Agência O Globo.

96 – Semifinal contra Cuba no Campeonato Mundial de Vôlei Feminino, em 1998. Fotógrafo: Marcelo Theobald/Agência O Globo.

108 – Bernardinho dando palestra no Fórum Mundial de Alta Performance, promovido pela HSM, em 2005, na cidade de São Paulo. Fotógrafo: Ed Guimarães. Imagem cedida pela HSM Inspiring Ideas.

124 – Bernardinho em quadra, treinando a equipe. Fotógrafo: Alexandre Arruda. Imagem cedida pela CBV.

148 – O capitão Nalbert bloqueia um ataque da equipe italiana na final das Olimpíadas de Atenas, em 2004. Fotógrafo: Ivo Gonzalez/Agência O Globo.

ÍNDICE DE FOTOS

164 – (No alto) Comemoração dos jogadores durante a semifinal contra os Estados Unidos nas Olimpíadas de Atenas, em 2004. Fotógrafo: Ivo Gonzalez/Agência O Globo.
(Embaixo) Nalbert, Giovane e André Heller no pódio, emocionados com a conquista da medalha de ouro nas Olimpíadas de Atenas, em 2004. Fotógrafo: Ivo Gonzalez/Agência O Globo.

180 – (No alto) Festa dos jogadores com a conquista da vitória sobre a Itália na final das Olimpíadas de Atenas, em 2004. Fotógrafo: Ivo Gonzalez/Agência O Globo.
(Embaixo) Conquista da medalha de ouro nas Olimpíadas de Atenas, em 2004. Os jogadores homenageiam o companheiro Henrique, que foi cortado do time uma semana antes do embarque para Atenas, levando sua camisa para as comemorações da vitória. Fotógrafo: Washington Alves. Acervo do COB.

204 – Bernardinho e Fernanda Venturini em evento da Unilever. Fotógrafo: Marco Corrêa.

QUARTA CAPA – A seleção brasileira de vôlei masculino na cerimônia de premiação após conquistar a medalha de ouro, derrotando a seleção da Itália, nas Olimpíadas de Atenas, em 2004. Fotógrafo: Ivo Gonzalez/Agência O Globo.

CONHEÇA OUTROS TÍTULOS DA EDITORA SEXTANTE

Nunca deixe de tentar
Michael Jordan

Nunca deixe de tentar é um depoimento de Michael Jordan sobre sua busca pela excelência e os fundamentos que nortearam sua brilhante carreira. Esse livro vai servir de inspiração para todos aqueles que desejam atingir seus objetivos e realizar seus sonhos, sem se intimidar com a pressão permanente por resultados em um mundo cada vez mais competitivo.

A vida de Jordan é pautada por valores que servem de inspiração para todos nós e podem ser aplicados na escola, no trabalho, em casa, na quadra e na vida. Os pilares do seu sucesso são o talento, a valorização do treinamento, a busca do aperfeiçoamento constante, a determinação, a disciplina, a coragem e o espírito de equipe. O atleta também ressalta a importância de fixar metas, manter o foco e não se deixar paralisar pelo medo, e conta como sempre encarou o fracasso como combustível para novas tentativas.

Uma grande carreira, ensina o campeão, se constrói passo a passo, traçando metas de curto prazo, mantendo o foco e enfrentando as adversidades com sabedoria – sem nunca ter medo de tentar.

Nada pode me ferir
David Goggins

A infância de David Goggins foi um pesadelo. Pobreza, racismo e maus-tratos físicos marcaram seus dias, assombraram suas noites e quase determinaram seu futuro.

Por meio da disciplina, da resistência mental e do trabalho duro, o jovem deprimido e obeso que havia perdido as esperanças deu a volta por cima, aprendeu a dominar a própria mente e se transformou em um ícone das Forças Armadas e um dos maiores atletas de resistência do mundo.

Único homem a completar o treinamento de três das principais forças de elite americanas e se tornar Navy SEAL, Army Ranger e especialista da Air Force Tactical Air Control Party (TACP), Goggins também bateu recordes em ultramaratonas e eventos de resistência.

Neste livro, ele compartilha sua surpreendente história de vida e revela que a maioria das pessoas utiliza apenas uma parte da própria capacidade física e mental.

De acordo com sua Regra dos 40%, quando pensamos que já atingimos nosso limite, ainda dispomos de uma grande reserva desconhecida de energia – e, para acessá-la, só precisamos vencer a batalha dentro da nossa própria mente.

Seu relato inspirador ilumina o caminho que você também pode trilhar para superar a dor, demolir o medo e alcançar níveis inéditos de desempenho e excelência no esporte e na vida.

Nunca é hora de parar
David Goggins

Em seu primeiro livro, *Nada pode me ferir*, Goggins revela o potencial inexplorado que todos temos dentro de nós.

Agora ele nos leva para o seu laboratório mental, no qual desenvolveu a filosofia, a psicologia e as estratégias que lhe mostraram que superar seus limites é apenas o ponto de partida, pois a busca pela grandeza nunca termina.

Sua impressionante história oferece ao leitor um mapa para sair do fundo do poço e chegar a um novo patamar que antes parecia inalcançável.

Se você sente que está sem rumo na vida, se busca maximizar seu potencial ou se apenas quer usar todas as suas energias para vencer barreiras aparentemente impossíveis, este livro é a inspiração de que você precisa.

A MARCA DA VITÓRIA
Phil Knight

Phil Knight, o homem por trás da Nike, sempre foi uma figura envolta em mistério. Agora, neste livro franco e surpreendente, ele conta sua história.

Aos 24 anos, depois de se formar e viajar como mochileiro pelo mundo, Knight decidiu que não seguiria um caminho convencional. Em vez de trabalhar para uma grande corporação, iria à luta para criar algo próprio, dinâmico e diferente.

Com 50 dólares emprestados pelo pai, ele abriu em 1963 uma empresa com uma missão simples: importar do Japão tênis de alta qualidade e baixo custo. E mal acreditou quando conseguiu vender rapidamente todos os calçados de suas primeiras encomendas.

Mas o caminho até tornar a Nike uma das marcas mais emblemáticas, inovadoras e rentáveis do mundo não foi fácil, e Knight fala em detalhes dos riscos que enfrentou, dos concorrentes implacáveis e de seus muitos triunfos e golpes de sorte.

Ele relembra a criação do nome e da logomarca – um dos poucos ícones reconhecidos em todos os cantos do planeta –, os primeiros modelos de tênis e os contratos com grandes atletas. Também destaca as relações com as pessoas que formariam a alma da Nike: seu ex-treinador de corrida, Bill Bowerman, e os primeiros funcionários, um grupo de desajustados geniais que rapidamente se tornou uma família.

Com uma visão ousada e a crença no poder transformador do esporte, juntos eles criaram uma marca e uma cultura que mudariam os parâmetros de desempenho e superação para sempre.

A incrível viagem de Shackleton
Alfred Lansing

"Em 1914, vivíamos os tempos das grandes conquistas do nosso mundo. O sonho de muitos era chegar ao Pico do Everest, no Polo Norte, ou atravessar o Atlântico em tempo recorde. Foi dentro desse ambiente que o Comandante Inglês Shackleton montou uma tripulação para conquistar o Polo Sul.

O grande problema da aventura foi que o inverno chegou antes do tempo e seu barco foi esmagado pelo gelo, lhe restando apenas os botes salva-vidas de madeira.

Os tripulantes do barco, sem muitas opções, decidiram empurrar os botes por mais de 100km até o oceano, se alimentando de peixes, focas e pinguins.

Quando chegaram ao Atlântico, Shackleton separou os homens mais fortes do grupo e foram todos remando em direção ao Chile.

Depois de algumas semanas à deriva, chegaram a uma região montanhosa do Chile, onde tiveram que escalar montanhas de até 3 mil metros de altura, sem equipamentos, até chegar a uma vila de pescadores, pegar um barco emprestado e, imediatamente, retornar para resgatar o resto da tripulação.

Todos foram salvos. Essa história é conhecida como o maior feito que um homem já fez."

Guilherme Benchimol – Fundador da XP

Fora de série
Malcolm Gladwell

O que torna algumas pessoas capazes de atingir um sucesso tão extraordinário e peculiar a ponto de serem chamadas de "fora de série"?

Costumamos acreditar que trajetórias excepcionais, como a dos gênios que revolucionam o mundo dos negócios, das artes, das ciên- cias e dos esportes, devem-se unicamente ao talento. Mas neste livro você verá que o universo das personalidades brilhantes esconde uma lógica muito mais fascinante e complexa do que aparenta.

Baseando-se na história de celebridades como Bill Gates, os Beatles e Mozart, Malcolm Gladwell mostra que ninguém "se faz sozinho". Todos os que se destacam por uma atuação fenomenal são, invariavelmente, pessoas que se beneficiaram de oportunidades incríveis, vantagens ocultas e heranças culturais. Tiveram a chance de aprender, trabalhar duro e interagir com o mundo de uma forma singular. Esses são os indivíduos fora de série – os *outliers*.

CONHEÇA ALGUNS DESTAQUES DE NOSSO CATÁLOGO

- Augusto Cury: Você é insubstituível (2,8 milhões de livros vendidos), Nunca desista de seus sonhos (2,7 milhões de livros vendidos) e O médico da emoção

- Dale Carnegie: Como fazer amigos e influenciar pessoas (16 milhões de livros vendidos) e Como evitar preocupações e começar a viver

- Brené Brown: A coragem de ser imperfeito – Como aceitar a própria vulnerabilidade e vencer a vergonha (600 mil livros vendidos)

- T. Harv Eker: Os segredos da mente milionária (2 milhões de livros vendidos)

- Gustavo Cerbasi: Casais inteligentes enriquecem juntos (1,2 milhão de livros vendidos) e Como organizar sua vida financeira

- Greg McKeown: Essencialismo – A disciplinada busca por menos (400 mil livros vendidos) e Sem esforço – Torne mais fácil o que é mais importante

- Haemin Sunim: As coisas que você só vê quando desacelera (450 mil livros vendidos) e Amor pelas coisas imperfeitas

- Ana Claudia Quintana Arantes: A morte é um dia que vale a pena viver (400 mil livros vendidos) e Pra vida toda valer a pena viver

- Ichiro Kishimi e Fumitake Koga: A coragem de não agradar – Como se libertar da opinião dos outros (200 mil livros vendidos)

- Simon Sinek: Comece pelo porquê (200 mil livros vendidos) e O jogo infinito

- Robert B. Cialdini: As armas da persuasão (350 mil livros vendidos)

- Eckhart Tolle: O poder do agora (1,2 milhão de livros vendidos)

- Edith Eva Eger: A bailarina de Auschwitz (600 mil livros vendidos)

- Cristina Núñez Pereira e Rafael R. Valcárcel: Emocionário – Um guia lúdico para lidar com as emoções (800 mil livros vendidos)

- Nizan Guanaes e Arthur Guerra: Você aguenta ser feliz? – Como cuidar da saúde mental e física para ter qualidade de vida

- Suhas Kshirsagar: Mude seus horários, mude sua vida – Como usar o relógio biológico para perder peso, reduzir o estresse e ter mais saúde e energia

Para saber mais sobre os títulos e autores da Editora Sextante,
visite o nosso site e siga as nossas redes sociais.
Além de informações sobre os próximos lançamentos,
você terá acesso a conteúdos exclusivos
e poderá participar de promoções e sorteios.

sextante.com.br